D1094426

La Collection « Tandem » se propose d'apporter, au travers de différents ouvrages, des réponses à un besoin social réel, celui d'une meilleure connaissance de soi et d'une meilleure aptitude à la rencontre de l'autre.

Illustration de couverture : ????

Imprimé en Belgique
ISBN 2-8040-1720-6
D/2002/258/95

Patrick TRAUBE

Éduquer, c'est aussi punir !

Du même auteur

Psychologie

Des sangs, des hommes, Mons, CDRS, 1995.
Comment choisir sa psychothérapie, Paris, Chiron, 1998.
Plus jamais seul !, Bruxelles, Labor, 1999.
Le Choix amoureux, Bruxelles, Labor, 1999.
Je m'aime… toi aussi, Bruxelles, Labor, 2000.
La guerre des sexes : un avenir ?, Paris, Odin, 2001.
Garder ses amis, nourrir ses amours, Bruxelles, Labor, 2001.
Violences : côté face et profil, Saint-Germain en Laye, Odin, 2002.
Le triangle éducatif, Mons, CDRS, 1998.
Les psychothérapies humanistes, Mons, CDRS, 2002.
Éloge du prêt-à-penser, Bruxelles, Labor, 2002.

Théâtre

Crime et chatimand, Paris, Éd. Des Écrivains, 1999.
Une nuit en Sologne, Avin, Éd. Lux, 2001.
Jeu de scène, Mons, CDRS, 2002.

« Les parents acceptent tout de leurs enfants (ce qui signifie qu'ils les aiment comme ils sont, sans rien renier ni rejeter), mais ne renoncent pas pour autant à les élever ni même, parfois, à les punir. Il n'est pas interdit d'interdire, mais seulement de mépriser, de rejeter, de haïr. »

(André Comte-Sponville)

Introduction : Instantanés pris sur le vif

Écrire sur la punition !

Aucune préméditation dans mon chef. Aucun parti pris, non plus. Je n'ai pas décidé, un matin au saut du lit, de commettre un livre sur le rôle de la règle et de la sanction dans l'éducation des enfants, pas plus que je n'ai de théorie personnelle à défendre sur le sujet. Comme souvent, ce sont les circonstances qui ont dirigé ma plume. À ceci près que, pour le psychologue, le mot « circonstancence » n'est pas anodin. Peu de hasard, en somme, mais une nécessité. « Circonstance » vient du mot latin « circum-stare » qui signifie « se tenir autour » ou encore « camper en encerclant ». Effectivement, je me suis senti encerclé, sollicité, pressé. Par les autres, sans doute (« quand allez-vous vous décider à écrire "quelque chose" sur la sanction ? »). Mais aussi par un sentiment personnel d'urgence, assurément exacerbé par le fait que je suis moi-même papa d'une petite fille et d'un presque déjà grand garçon. Difficile de résister à ces forces tapies qui se tiennent autour et en nous ! Nous sommes à leur merci. Elles nous convoquent avec une insistance têtue. Elles n'autorisent aucune échappée, aucune fuite. Elles ne nous laissent pas le choix. En l'occurrence, elle se présentèrent à moi sous les allures ingénuement anodines de trois histoires banales.

À l'issue d'une conférence que je donnais dans un de nos pittoresques chefs-lieux de province, une dame d'un certain âge m'interpelle. « Monsieur », me dit-elle, « puis-je solliciter quelques minutes de votre temps ? ». J'opine poliment du chef. Elle poursuit : « Je suis très inquiète. je ne sais plus que faire avec ma petite-fille. Maud a cinq ans. Sa mère (ma fille) lui passe tous ses caprices. La petite n'a pas le temps d'émettre un souhait, d'exprimer un désir, que sa mère déjà lui demande : tu veux ceci ? Tu n'as pas envie de cela ? Est-ce une bonne façon d'éduquer un enfant ? Selon vous, monsieur, que va devenir ma petite fille ? » Eh bien, si rien ne change, madame, Maud deviendra probablement une enfant, puis une adolescente et une adulte tyrannique, jamais satisfaite, incapable de soutenir la moindre frustration et inapte à formuler la moindre demande puisqu'elle n'aura jamais eu besoin de le faire.

Quelques jours plus tard, au cours d'une première consultation, je reçois dans mon cabinet Hélène, trente ans. Elle en vient très vite à me confier le désarroi qui la taraude au sujet de l'attitude de son compagnon vis-à-vis de sa fille, issue d'un premier mariage. « Pierre aime beaucoup Alison » me dit-elle. « C'est normal et je ne trouve rien à y redire. Là où ça ne va plus, c'est lorsque je m'aperçois qu'il s'adresse à elle, la regarde, lui prend la main, comme il le ferait avec une "petite femme" dont il serait amoureux (Alison a huit ans). Lorsque la petite "fait de travers" et que Pierre élève le ton ou doit sévir, le même scénario se produit coup sur coup. L'enfant se met à pleurer et Pierre... lui demande pardon. »

Ici, aussi question identique : que va-t-il advenir d'Alison, cet enfant sans père. Je veux dire, sans père occupant effectivement une position parentale, sans père capable de sévir au besoin, d'en soutenir l'inconfort, voire la douleur ? Inquiétude d'autant plus criante que j'appris par la suite que le première épouse de Pierre, la mère de la petite Alison, témoignait de la même inaptitude, privant l'enfant du contrepoids salutaire qui aurait pu la sauver.

Il y a quelque temps, je fus convié avec ma compagne à un dîner d'anniversaire. Le couple sympathique qui nous reçoit a cinq enfants : deux garçons et trois filles. Au cours du repas, je suis témoin involontaire, mais oculaire, d'une scène très brève comportant quatre séquences de quelques secondes chacune. En voici le découpage :

1. Alors que ses parents le lui avaient interdit formellement, Fabien, le cadet des garçons, revient du jardin et pénètre dans le salon avec des chaussures crottées.
2. Le père lui intime l'ordre d'ôter ses chaussures sur la terrasse extérieure.
3. Fabien hausse les épaules, toise son père et poursuit son chemin comme si de rien n'était.
4. Aux convives sidérés, la mère, gênée, déclare : « il a du caractère, cet enfant ! ».

   Un ange passa. Les choses en restèrent là.

Ces quelques situations vécues, fragments de vie quotidienne, me conduisirent à penser qu'en ces circonstances les anges passent trop vite. Elles déterminèrent ma décision de livrer ces quelques réflexions sur la régle et la place de la sanction dans l'éducation des enfants. Je les dédie à la grand-mère de Maud, à Hélène et aux parents de Fabien ; mais aussi et peut-être surtout ... à Maud elle-même, à Alison et à Fabien avec l'espoir que, peut-être, ils les liront s'ils deviennent à leur tour parents.

1. L'amour et la Loi

Solange me consulte sur le conseil d'une de ses amies. Elle a 63 ans et se trouve enlisée dans un conflit douloureux avec ses enfants, aujourd'hui adultes. « Je leur ai tout donné, me dit-elle, et je m'en trouve bien mal récompensée. Ils me reprochent d'avoir été une mère étouffante. Pour couronner le tout, ma cadette connaît des difficultés dans son couple et m'accuse d'en être responsable. » Lorsque j'interroge Solange sur son enfance et sur ses propres parents, elle me les décrit comme des personnes généreuses, aimantes, mais assez frustres. « Nous ne manquions de rien, dit-elle, et pas seulement sur le plan matériel. Mes frères et moi avons grandi sans jamais mettre en doute l'amour de nos parents. Nous étions leur fierté et leur bonheur. Ils avaient confiance en nos capacités. Maraîchers, ils travaillaient dans des conditions pénibles pour nous assurer le meilleur avenir. Ils ont réussi. Tous, nous avons tous fait des études supérieures. La seule chose que nous aurions aimé, c'est que cet amour, ils nous le montrent avec des mots et surtout avec des gestes. Seulement, voilà ! Le doux câlin du réveil, la petite histoire avant de s'endormir, le diminutif tendre, ce n'était pas le genre de la maison. Certes, ils travaillaient tôt le matin, tard le soir, et ne se privaient pas de nous le répéter comme une litanie. Mais c'était aussi un prétexte. Ils disaient “tu es trop grande” ou “tu sais bien qu’on t’aime”. En grandissant, j’ai compris la raison de cette attitude : ils avaient peur de nous élever dans l’ouate et le coton parce qu’ils étaient persuadés que cela nous déforcerait face aux duretés de l’existence. » Comme c’est souvent le cas en pareille circonstance, Solange a voulu inverser le sablier, tourner sa propre vie dans le sens opposé à celui des aiguilles de son monde enfantin. Elle a donné à ses propres enfants ce qui lui avait douloureusement manqué. Elle leur a offert ce qu’elle n’avait pas reçu. Elle a couvé, chouchouté ses enfants jusqu’à saturation. Elle les a tellement gavés de signes d’amour que les mots et les gestes ont perdu dans l’aventure une part de leur valeur. Il en va de la psychologie (rapport entre les êtres) comme de l’économie (rapport aux biens). Dans une économie de restriction, le « peu » vaut beaucoup. Dans une économie d’abondance et de surenchère, le « trop » sombre vite dans l’insignifiance.

Frédéric est un jeune homme de 23 ans. Il me consulte, poussé dans le dos par ses parents et sur le conseil insistant du médecin de famille. Le climat familial est pollué par des conflits incessants qui l’opposent à son père. Je découvre un garçon timide, réservé qui éprouve des difficultés évidentes à mettre des mots sur ce qu’il ressent. « Je me sens mal dans ma peau », répète-t-il inlassablement, mais sans parvenir à en dire plus, à préciser ce que cette expression signifie pour lui. Depuis la fin de ses études secondaires, il a subi deux échecs cuisants et a changé d’orientation après chaque échec, interprétant ceux-ci comme le résultat d’une erreur d’orientation. Au grand soulagement de ses parents, il finit par trouver des études qui lui conviennent, un graduat en travail social. Il réussit haut la main ses deux première années. Puis, coup de théâtre ! Il décide d'abandonner l'épreuve un an avant la ligne d'arrivée. Stupeur ! Incompréhension de l'entourage ! Lassés, ses parents lui signifient qu'ils lui couperont les vivres s'il n'achève pas les études en cours. L'anamnèse (c'est-à-dire l'histoire du patient) révèle ceci. Frédéric a été un garçon choyé, couvé. Enfant unique, il était l'objet d'attentes importantes dans le chef de ses parents. Ceux-ci avaient peur de le bousculer sous prétexte qu'il était un enfant sensible. Au cours du troisième entretien, il parvient à exprimer sa colère vis-à-vis de son père. Mais cette colère est teintée de culpabilité. « C'est un homme gentil ; il a tout fait pour moi ; je n'ai aucune raison de lui en vouloir. » Ses lèvres tremblent. Elles manifestent le tourment intérieur. Mais aucune parole ne sort de sa bouche. Lors du cinquième entretien, je lui propose de placer son père sur une chaise face à lui, d'imaginer qu'il y est assis et de lui dire ce qu'il a sur le cœur. Ce garçon timide explose littéralement. « Tu es un lâche. Tu m'as toujours laissé faire ; quand je te tiens tête, tu quittes la pièce, tu fuis. » Je m'assure qu'il a vidé son sac et lui propose de passer des mots aux gestes. Je l'invite à évacuer sa colère en frappant sur des coussins de mousse. Après cinq minutes, Frédéric est épuisé. Sa respiration s'amplifie. Il se met à pleurer à chaudes larmes. Une infinie tristesse lui étreint le cœur. « Papa, dis-moi, ce que je dois faire ; ne me laisse pas tomber, j'ai besoin de toi. » La thérapie de Frédéric a duré quatre mois à raison d'une séance par semaine. Aujourd'hui, les relations familiales sont apaisées mais, surtout, Frédéric a identifié l'origine de son mal-être et a appris à mettre des mots sur ses maux.

Solange. Frédéric. Une femme d'âge mûr, un jeune homme en début de parcours. Deux visages, deux regards, deux histoires contrastées, deux souffrances qui se racontent. Voici vingt ans que je pratique le métier de psychothérapeute. À ce titre, je reçois dans mon cabinet de consultation des personnes des deux sexes, de tous âges, de toutes conditions. Toutes différentes par leur personnalité, leur histoire personnelle, leur demande, leur attente. Chacune me confie une douleur spécifique, qui n'est comparable à aucune autre. Pourtant, un fait troublant m'interpelle. Par-delà les singularités propres à chaque cas, se dégage une caractéristique générale relative au point de souffrance qui m'est confiée et cette constante est fonction d'un paramètre : l'âge du patient. Comme Solange, la plupart des patients âgés de plus de soixante ans en arrivent, tôt ou tard, à me confier qu'enfants, ils ont cruellement manqué de manifestations d'amour et de tendresse. Cette plainte, je l'entends beaucoup plus rarement chez les jeunes de moins de trente ans. Mais ceux-ci, comme Frédéric, témoignent d'un manque d'une autre nature : une carence de présence paternelle dont ils portent toujours la marque. Une absence qui pèse lourd !

Qu'on me comprenne bien ! Je ne dis pas que les premiers, les aînés, ont nécessairement manqué d'affection ou de soins. Certains assurément en ont été privés. Ils ont subi des malmenances psychiques, des indifférences glaciales, des silences mortifères. Parfois, ils ont été l'objet de maltraitances physiques. Ils n'ont pas bénéficié de cet apport en nourritures affectives, en vitamines émotionnelles, dont tout être humain a besoin pour croître et s'épanouir. D'autres, fort heureusement, ont eu des parents attentifs et aimants. Ils ont trouvé dans leur entourage des épaules sur lesquelles s'appuyer en cas de besoin, des cœurs compatissants, des oreilles attentives. Mais ce dont ils ont manqué, ce sont de témoignages extérieurs, notamment physiques, d'affection et de tendresse. À l'instar de Solange, ils disent des choses du genre : « il y avait de l'amour à la maison, mais on ne le montrait pas », ou encore « à l'époque, on n'était pas très démonstratif dans les échanges de tendresse ». Comment expliquer cet état de fait, ce manque chronique qui marqua les générations précédentes ? Très simplement, en se remémorant ce que les parents d'antan avaient dans la tête lorsque leurs enfants, aujourd'hui adultes, étaient encore nourrissons. « Ne bercez jamais bébé. Ne le prenez pas dans vos bras. Ne vous laissez pas aller aux étreintes ni aux baisers avec les enfants. Ne permettez pas qu'ils s'assoient sur vos genoux. S'il faut absolument que vous les embrassiez, contentez-vous de poser vos lèvres sur le front quand vous leur souhaitez bonne nuit. » Ces très sérieuses recommandations à l'usage des parents et des éducateurs ne sont pas extraites d'une œuvre de fiction, encore moins de mon imagination fantasque. Elles figurent dans un guide de puériculture datant de 1928 [1]. Aujourd'hui, elles font sourire. Mais elles sont révélatrices. Elles témoignent de l'idéologie éducative de l'époque. Bon nombre d'adultes ayant aujourd'hui dépassé la cinquantaine ont été élevés par des parents ou des grands-parents inféodés à de telles prescriptions. Pourquoi cet engouement pour ces directives spartiates ? Par insensibilité ? Par dureté de cœur ? Non ! Parce que ces préceptes faisaient partie de l'« esprit du temps » et s'imposaient comme des évidences. Les parents d'alors étaient intimement persuadés de bien faire. Moins scolarisés que les parents actuels, ils n'avaient pas à leur disposition les savoirs et moyens d'information d'aujourd'hui, donc les

---

1 Michèle Rager, « Les étonnantes compétences de bébé, rubrique "Enfants" », *Le Soir*, 11-12 Janvier 1997.

outils de la critique (« si c'est dit dans les livres, c'est que c'est vrai ! » ou encore « si mes parents se sont conduits ainsi avec moi, pourquoi ferais-je autrement avec mes propres enfants ? »).

Voilà donc pour les patients-du-premier-type, les aînés.

Puis, dans les années soixante/soixante-dix, le vent tourne à 180 degrés. L'ouragan de la contestation déferle sur les capitales européennes et américaines. Dans le sillage de la révolution des mœurs, sous l'impulsion des psychologues et des pédagogues modernistes, l'idéologie éducative entame son nettoyage de printemps. Rappelons-nous les slogans qui fleurissaient sur nos murs comme des incantations. « Il est interdit d'interdire », « sous les pavés, la plage », « j'aime sans entrave », « vivre sans contrainte ». Bon gré, mal gré, la règle se voit contrainte au repli stratégique et tire sa révérence. L'autorité aliène les enfants, casse leurs élans spontanés, émascule leur authenticité, risque de les traumatiser. À la Bourse des valeurs éducatives, l'amour voit sa cotation s'enflammer. L'amour, et surtout l'amour exprimé, est élevé au pinacle. Il enlève la préséance. Puisqu'il importe que les enfants sachent qu'on les aime, on va les gratifier de toutes les manifestations d'amour possibles. Ils seront entourés, cajolés, choyés, bercés, maternés, caressés. Tout leur sera dû. S'initie en grandes pompes le règne de l'Enfant-Roi. Trente ans ont passé. Aujourd'hui, ces enfants ont grandi. Ils sont devenus adultes. Lorsqu'ils se confient au psychothérapeute, ils en arrivent rapidement à exprimer qu'ils en veulent à leurs parents, et surtout à leurs pères, non de ne pas les avoir assez aimés, mais d'avoir été trop peu normatifs, de n'avoir pas su leur indiquer la route, de n'avoir pas fait preuve, au besoin, d'une autorité suffisante. Ils ont été sevrés, semble-t-il, de quelque chose d'essentiel à leur maturation.

Je livre cette observation fondée sur ma pratique clinique d'autant plus volontiers qu'elle est corroborée par la recherche expérimentale. Une étude réalisée entre 1992 et 1996 à l'Université de Liège (service du professeur Born) auprès d'un échantillon représentatif de jeunes, met en évidence une corrélation significative entre le caractère agressif d'un adolescent et le degré de satisfaction qu'il éprouve dans sa relation avec son père. La même étude montre que ce qui différencie le groupe-test de sujets violents du groupe-test de sujets non violents, n'est pas tant, comme on pourrait le croire, l'aspect « libre » ou « strict » de l'éducation reçue, mais bien la présence ou l'absence de dialogue, de possibilités de discussion, entre jeune et adulte[2]. Une enquête réalisée en 1993 à la demande du quotidien belge *Le Soir* par Marketing Unit révèle une réalité fort semblable. L'enquête proposait aux jeunes sondés (garçons et filles de 17 à 23 ans) une liste de quatorze adjectifs et leur demandait de les classer en commençant par ceux qui qualifiaient le mieux l'attitude de leurs parents à leur égard. Les trois premiers qualificatifs cités furent dans l'ordre : « attentifs », « compréhensifs », et « copains ». La même enquête révèle que la majorité des adolescents interrogés auraient souhaité « des parents plus sévères et surtout plus exigeants »[3], confirmant ainsi l'intuition de Didier Lauru selon laquelle « les adolescents ont une passion pour les figures incarnant une limite. Ils n'auront de cesse de chercher leur limite interne et externe. Pour certains d'entre eux, aux contours de personnalité flous et à la structuration incertaine, ils iront assez loin pour trouver dans

---

2 Direction générale des affaires sociales de la province du Hainaut-CEDORES **La violence à l'école, une réalité. Quelques pistes de réflexions et d'interventions...** Actes des journées d'études des 7-8 octobre 1996, p. 56 et suiv.

3 *Le Soir* des 28 avril 1993 et 7 mai 1993.

l'adulte ce qu'ils ne peuvent trouver en eux-mêmes : la limite qui va les rassurer sur leurs angoisses. »[4]

Paraphrasant le titre d'un livre célèbre, je concluerai donc ce premier chapitre en disant : **en éducation, l'amour ne suffit pas. Il faut des règles, il faut de l'exigence, il faut... de la Loi.**

La chose est entendue !

Encore devons-nous nous accorder sur le sens de ce terme.

Qu'est-ce que la loi ?

---

4 Didier Lauru, *Graînes de violence*, Toulouse, Eres, 2000.

2. Le paradoxe de la Loi

Lorsque nous étudions le Code de la route pour obtenir notre permis de conduire, nous devons assimiler la signification d'une masse impressionnante de paneaux indicateurs. On nous explique que les panneaux se répartissent en plusieurs familles et qu'il ne s'agit pas de les confondre. D'une part, il y a les panneaux triangulaires à bords rouges qui nous informent d'un danger (sortie d'école, aquaplanage...) ou d'une particularité de la route exigeant une adaptation de la conduite (lacis, inclinaison du sol...). Puis, il y a des panneaux contraignants, ceux qui ne se contentent pas d'attirer notre attention ou de nous mettre en garde mais qui intiment un ordre. Ou bien, ils interdisent quelque chose (le stationnement, le dépassement, la circulation dans un sens déterminé....). Ou bien, ils donnent une directive à laquelle il faut obtempérer sous peine de contravention (piste cyclabe, ralentissement obligatoire...). Les premiers sont ronds et l'indication est dessinée sur fond rouge. Les seconds sont ronds ou rectangulaires. L'indication est dessinée sur fond bleu. Panneaux ronds rouges et panneaux bleus disent la loi en matière de circulation routière, les uns négativement (ce qu'il ne faut pas faire), les autres positivement (ce qu'il faut faire).

Cette métaphore des panneaux de circulation routière est éclairante car elle indique que la loi, [comme une pièce d'euro flambant neuve], possède deux faces. D'un côté, elle édicte ce qui est obligatoire (prescription) et, de l'autre, ce qui est interdit (interdiction). La **prescription** se formule positivement : Tu dois faire ceci. Dans ce type de situation, tu dois agir comme cela (panneaux bleus). L'**interdiction** se formule négativement : Tu ne peux pas faire ceci ; cet acte n'est pas autorisé (panneaux rouges). Autrement dit, la loi PREscrit certaines choses (elle édicte des obligations) et en PROscrit d'autres (elle édicte des interdits).

Cela étant et indépendamment de la forme dans laquelle elle se coule, qu'est-ce fondamentalement que la loi ? Qu'est-ce que la loi, non dans sa signification juridique, celle du droit, mais au sens psychologique, celui des rapports humains ?

Puisqu'il est commode de définir une chose par la négative, pourquoi s'en priver ? Voyons donc, pour commencer, ce qu'elle n'est pas.

Pour l'éducateur ou le psychologue, la Loi n'est évidemment pas la règle arbitraire, gratuite ou de pure forme. Elle n'est pas la discipline idiote ou le règlement tatillon. Elle n'est sûrement pas non plus le moyen d'exercer sa volonté de pouvoir sur l'enfant, de lui montrer sa force ou d'affirmer sa domination. Nous verrons plus loin qu'une loi conçue de cette façon engendre des catastrophes : la violence ou l'inhibition, la révolte ou le repli sur soi. Par ailleurs, la Loi en éducation (par convention, on écrira le mot avec un « L » majuscule) n'est pas, non plus, l'ensemble des lois juridiques (civiles, pénales...) contenues dans les codes qui contiennent les droits et devoirs vis-à-vis des enfants ou relèvent du droit de la famille.

Positivement donc, qu'est-ce que la Loi ?

La Loi est l'ensemble des principes et des interdits fondamentaux, constitutifs de l'humanité de l'homme, qui balisent le chemin de vie, structurent et protègent, indiquant à chacun la place qu'il occupe par rapport aux autres et assurant le respect de cette place. Au départ, ces principes (les Grecs disaient « nomos ») viennent de l'extérieur, de la culture par l'intermédiaire des parents et de leurs prolongements sociaux (maîtres, moniteurs de mouvements de jeunesse, adultes de référence...), puis ils s'intériorisent progressivement, avec plus ou moins de bonheur. Pourquoi avec plus ou moins de bonheur ? Parce que, comme une pièce de monnaie, la Loi est une réalité à double face. Elle a un avers et un revers, une face claire et une face sombre. D'un côté, elle est aliénante, de l'autre elle est structurante. Elle est simultanément aliénante et structurante, donc ... éminemment paradoxale.

Voyons cela de plus près.

2.1. La Loi est aliénante

Je veux ce vélo, mais je ne puis m'en emparer parce qu'il ne m'appartient pas. J'ai envie de jouir de l'euphorie de la vitesse en faisant rugir mon moteur, mais la vitesse autorisée est limitée à 120 km/h. Cet homme m'attire comme un aimant, mais il est le mari de ma meilleure copine. Cette femme éveille mon désir, mais elle aime ailleurs. Se soumettre à une règle, c'est inévitablement s'amputer d'une part de sa liberté, c'est mettre une sourdine à son désir.

Qu'elle soit éthique ou juridique, la Loi vient barrer la satisfaction du désir. Le mot « aliénant » est donc à entendre dans son sens étymologique. S'aliéner un bien, c'est s'en défaire, s'en déposséder, se le rendre étranger, accepter de ne pas en jouir ou, en tout cas, de ne pas en jouir tout de suite. Obéir à la Loi, c'est réfréner une envie, une (im)pulsion, un besoin, ou éventuellement accepter d'en différer la satisfaction. Je m'offrirai ce vélo lorsque j'aurai épargné suffisamment pour pouvoir l'acheter. Je lâche la bride à mon besoin de sensations fortes sur un circuit balisé prévu à cet effet. Je séduis un homme qui titille mon fantasme mais qui n'est pas le mari d'une copine, etc. La loi est aliénante parce qu'elle ampute ma liberté. Elle met une sourdine à mon impulsion à n'en faire qu'à ma tête. Elle me soustrait à la seule logique du désir.

2.2. La Loi est structurante

Mais elle me soustrait aussi à la tyrannie de mon désir et m'en protège. La Loi est structurante dans la mesure où, comme les panneaux routiers de tout à l'heure, elle indique les limites à ne pas franchir, les barrières à respecter, les frontières à prendre en compte, la distribution des places dans l'espace social. Elle régule les échanges entre les hommes, établit un ordre dans le chaos et, par là, sécurise la circulation du désir dans l'espace commun. Recto, verso ! Tout gain implique une perte. Toute perte rend un gain possible. Ici, la perte de liberté (je ne peux pas tout faire) permet un gain de sécurité (je sais jusqu'où je puis aller). La métaphore du jeu de société est éclairante. Dans tout jeu (jeu de cartes, jeu sportif, jeu de hasard ...), il y a des règles. Sans règles, pas de jeu possible ! Ces règles sont établies d'entrée de jeu et s'imposent à tous de la même manière. De plus, elles sont soumises à une super-règle qui les chapeaute : on ne change pas les règles en cours de partie ou de manière unilatérale. Qu'adviendrait-il du jeu si chacun inventait ses propres règles ou modifiait les procédures établies selon sa fantaisie ? De même, dans toute société, il y a des lois. Sans lois, pas de vie sociale ! L'absence de règles au sein d'un groupe, d'une collectivité, se dit « anarchie ». Or, l'anarchie est une utopie angélique dangereuse parce qu'elle ne dit pas son nom, parce qu'elle avance à visage masqué et que sous le masque avenant, grimace la loi de la jungle, c'est-à-dire celle du plus fort. La civilisation remplace la barbarie au moment où s'impose l'État de droit. Toute socialisation implique donc une intériorisation de la Loi par chaque individu et l'agent de cette intériorisation, c'est d'abord l'éducation.

Dans la famille occidentale, la Loi relève de ce que les psychologues appellent la « fonction paternelle ». Qu'est-ce que cela signifie au juste ? Que les hommes sont plus respectueux des lois que les femmes ? Sûrement pas ! Il suffit d'observer le comportement des femmes et des hommes au volant de leur véhicule ou dans les lieux publics pour s'en convaincre. Cela signifie simplement qu'au sein de la configuration familiale, l'enfant est aimé par sa mère et par son père, mais qu'il ne l'est pas tout à fait de la même façon. L'amour maternel est inconditionnel (« quoi qu'il ait pu faire, il sera toujours mon fils ») et, selon les psychanalystes, soumis à la loi du désir (l'enfant est l'objet du désir de la femme). L'amour paternel, en revanche, est conditionnel. S'interposant comme « tiers » entre la mère et l'enfant, il empêche la fusion, délie l'enfant de la loi du seul désir (du désir de sa mère) pour amorcer le désir de la Loi.

Il assure la coupure avec le cordon ombilical psychique. Il amorce l'affiliation au groupe social, à ses règles et interdits fondamentaux, notamment l'interdit de l'inceste et de l'endogamie (« ta mère est ma femme; tu devras trouver ta femme, ton homme, hors de la famille »). Si ces deux fonctions, paternelle et maternelle, sont théoriquement disjointes, notons qu'il s'agit d'une distinction de « fonctions », pas nécessairement de « personnes ». Ainsi, dans le milieu affectif du noyau familial, les fonctions paternelle et maternelle ne sont pas séparées par une ligne de démarcation stricte. Si le père est physiquement absent (je pense aux familles monoparentales où la mère élève seule son enfant) ou psychiquement absent (le père se démet de son rôle), la mère doit assumer conjointement les deux fonctions. Cette obligation rend sa position particulièrement difficile. Inversement, en l'absence (physique ou psychique) d'une mère, c'est au père qu'échoit la responsabilité d'assurer conjointement les deux fonctions, position tout aussi malaisée.

En résumé: **pour croître et se développer psychiquement, l'enfant a impérieusement besoin d'amour.**

Pour croître et se développer psychiquement, l'enfant a impérieusement besoin de Loi.

Il a besoin non d'amour OU de Loi.

Il a besoin d'amour ET de Loi.

Notons au passage que le désir de transgresser la règle est un stade normal dans l'évolution de la personne. L'adolescence en est le moment privilégié puisqu'elle est, par nature, l'âge de la révolte, de la rébellion. Mais cette volonté ne peut s'étayer dans le réel qu'à la condition que les règles soient présentes. S'il n'y a pas de lois clairement définies, il n'est guère de transgression possible. Comment se rebeller contre une loi qui n'existe pas ou qui se débine. On pourrait dire qu'une des fonctions psychiques de la Loi, c'est d'en permettre la contestation et la subversion. Ceci explique sans doute le malaise des jeunes évoqué précédemment face à une autorité qui, depuis quelques décennies, se délite. Ceci explique aussi les mises en garde répétées des philosophes et des psychanalystes à l'endroit d'une éducation sans apport paternel suffisant ou d'une idéologie éducative démocratique mal comprise.

3. Éducation ou séduction

Le philosophe Pascal Bruckner ne se prive pas de mots très durs à l'endroit d'une certaine conception pseudo-moderniste de la relation éducative. Il écrit notamment ceci: «l'enfant, nous l'exaltons comme un être de pureté absolue qui participe aux commencements du monde, qui possède une vérité que nous avons à réapprendre. Nous ne voulons plus l'éduquer mais faire émerger le génie dont il est dépositaire. Le problème est qu'au même moment, nous régressons, nous bêtifions ... À ce petit jeu, c'est le bambin qui est pénalisé, car les parents voulant sans arrêt lui prendre sa place, il ne trouve plus d'adultes face à lui. Devenu adolescent, il doit logiquement réclamer cette autorité parentale dont il a été sevré.»[5] On l'a vu, l'écoute clinique des psychologues, les enquêtes des sociologues, confirment cette prédiction. Pascal Bruckner n'est pas le seul penseur à stigmatiser le danger sournois de l'idéologie de l'enfant-roi, d'une **confusion endémique des rôles** et d'un estompement des différences, notamment de la différence des générations. Son compatriote, le psychanalyste Tony Anatrella, fait écho à cette inquiétude. Dans un de ses derniers ouvrages, il

5 Pascal Bruckner, *La tentation de l'innocence*, Paris, Grasset, 1994.

réaffirme cette évidence première selon laquelle ce dont enfants et adolescents ont impérieusement besoin, c'est ... de parents, soit d'adultes qui jouent pleinement leur rôle parental et non, selon une formule corrosive dont il a le secret, d'« **adulescents** », c'est-à-dire d'adultes demeurés adolescents, jouant à l'adolescent, prenant « le jeune » comme modèle d'identification (le monde à l'envers !), confondant par là relation d'éducation et relation de séduction. Il y a, dit-il, incompatibilité entre ces deux modalités de relation. On ne peut tout à la fois éduquer et séduire, interdire et plaire. Et de nous mettre en garde contre les dangers d'une démission généralisée des pères qui ouvrent la voie à ce qu'il nomme un « matriarcat éducatif », soit une prégnance exclusive, donc totalitaire puisque sans contrepoids, de la mère[6]. Même son de cloche du côté des femmes. Parlant de la position paternelle dans la famille, la psychanalyste Christiane Olivier déplore le fait que si peu d'hommes prennent auprès de leur enfant la place qui leur revient, livrant de facto celui-ci à la seule « duellité » maternelle, c'est-à-dire une relation appropriative mère-enfant qui risque à tout moment de sombrer dans la fusion et qui se traduit par des expressions du genre : « c'est MON enfant », « mon enfant, c'est une partie de moi-même » ou encore « mon fils, c'est l'homme de ma vie » etc.)[7]. Plus récemment encore, François Taillandier élargit la focale en pointant un index accusateur sur la propension démissionnaire non plus seulement des pères mais des parents en général. Il stigmatise avec une rare virulence la « dérive juvéniste » c'est-à-dire cette exaltation obsessive de la jeunesse qui, peut-être, renvoie l'adulte à son incapacité à vieillir. « Que d'enquêtes journalistiques démagogiques sur

---

6 Tony Anatrella, *Interminables Adolescences*, Cerf/Cujas, Paris, 1988.
7 Christiane Olivier, *Les Fils d'Oreste*, Flammarion, Paris, 1994.

le nouveau parler-jeune! C'est probablement devant le verlan, le tag, le graph, le rap, expression de la jeunesse socialement et intellectuellement défavorisée, que cette espèce de niaiserie juvéniste a le plus clairement dévoilé son irresponsabilité pitoyable, son phillistinisme à gifler... Tout ce que la société adulte devrait éprouver devant cela, c'est la honte de ne pas savoir instruire les enfants. »[8] Ces propos musclés sont peut-être excessifs. Mais sont-ils pour autant insignifiants ? S'ils sont discutables, c'est qu'ils ont précisément le mérite de secouer le landerneau, de susciter la réflexion, de poser clairement une question fondamentale, celle de la nature et de la spécificité de la relation éducative.

3.1. Éduquer n'est pas séduire

Peut-on simultanément éduquer son enfant et le séduire ?

La réponse, évidemment, est : non !

Éduquer n'est pas séduire. La situation de l'éducateur est aux antipodes de celle du séducteur. Pourquoi ? Parce qu'éduquer c'est socialiser, donc imposer des règles. C'est permettre et interdire, récompenser et sanctionner, encourager et blâmer. C'est contrarier des attentes pour mieux répondre à des besoins. C'est s'interposer entre le désir et sa satisfaction immédiate. C'est donc osciller en permanence entre les deux positions extrêmes mais incontournables du « désir de plaire » et de l'« obligation de déplaire ». En revanche, la séduction n'est jamais un mouvement oscillatoire, pendulaire, puisqu'elle est soumise à la seule

8 François Taillandier, *Les parents lâcheurs*, Éd. du Rocher, Monaco, 2001, p. 45.

volonté de plaire et au souci corrélatif de ne jamais déplaire.

Détaillons cette frontière entre l'« éduquer » et le « séduire », et observons pour commencer que la relation de séduction peut s'établir sur des terrains très différents.

La **séduction** peut s'étendre dans la durée et dans la permanence. Symétrique dans le principe, elle caractérise un lien entre deux individus placés sur pied d'égalité, par exemple, deux amants, deux amis, deux associés. Pour conquérir l'amour, l'amitié, le désir ou la reconnaissance de l'autre, je dois me montrer sous mon meilleur jour, éclairer mon angle favorable, jouer de mes atouts, déployer mes avantages. Je dois éviter de le décevoir ou de le frustrer car ce serait prendre le risque de m'aliéner son intérêt et de perdre sa sympathie.

La séduction peut aussi s'établir dans l'instant, hors de toute contrainte de durée. Elle est ponctuelle, événementielle. On peut séduire ou être séduit le temps d'une soirée ou d'un rendez-vous. Elle peut être même ultra-ponctuelle : le temps fugace d'un regard au croisement de deux rues ou à la sortie d'un hypermarché.

Mais la séduction n'implique pas nécessairement la symétrie ou l'égalité hiérarchique. Lorsque je postule pour un emploi, mon employeur potentiel est en situation de pouvoir. Je dois faire valoir mes atouts pour obtenir ce que je désire (l'emploi). Lui aussi peut vouloir me séduire s'il souhaite bénéficier de mes qualifications, de mon expérience ou de ma renommée. Dans ce cas, le jeu de l'un répond à l'attente de l'autre. Nous devons nous séduire mutuellement pour obtenir ce que nous recherchons. Aucune réciprocité, en revanche, dans la situation du vendeur qui cherche à convaincre un prospect d'acheter son produit. Lui aussi pourtant devra jouer sur le registre de la séduction, mais celle-ci fonctionnera à sens unique. Le vendeur doit séduire. L'acheteur n'est qu'une cible, un objet à conquérir.

Que ce soit sur le mode continu ou sur le mode discontinu, la séduction peut s'établir sur le plan affectif ou social. Dans le premier cas (séduction affective), son enjeu est la conquête de la personne de l'autre. Dans le second (séduction sociale), l'enjeu n'est pas la relation comme telle mais le bénéfice que j'en escompte. Néanmoins, dans les deux cas, l'échec de la séduction entraîne une perte, la perte de l'objet désiré (la personne) ou du bénéfice escompté.

En revanche, la relation d'**éducation** est, dans son principe, une relation continue, soumise à une contrainte de durée. Dans l'espèce humaine, on n'éduque pas en une heure, en un jour, en une semaine. Comme la relation psychothérapeutique (le lien entre un thérapeute et son patient), elle s'inscrit dans un projet (ou une mission) et relève d'une démarche d'accompagnement. L'une et l'autre comportent un pari sur l'avenir. L'autre est sujet-en-devenir, non objet à conquérir. Mais, contrairement à la relation psychothérapeutique, la relation éducative est asymétrique dans le sens où elle s'établit entre deux sujets non égaux (enfants et parents ne sont pas égaux ; les seconds ont autorité sur les premiers) et dont les désirs ne s'emboitent pas nécessairement de façon complémentaire. Mon enfant veut son jouet tout de suite. Je le lui promets pour la Saint-Nicolas. Ce faisant, je viens barrer son désir. Je l'oblige à le mettre en suspens. Or, son désir est impérieux et exige satisfaction immédiate. Ma réponse le met en demeure d'en différer la satisfaction, d'y mettre une sourdine. Inévitablement, il sera frustré et m'en voudra de provoquer cette frustration. Comme parent, je n'ai pas à séduire mon enfant. J'ai à l'aimer et à le respecter. Aimer et respecter son enfant, c'est lui donner non ce qu'il désire, mais ce dont il a besoin.

Soit !

Mais alors quelle est la différence entre le besoin et le désir ?

Une métaphore biologique va nous le faire comprendre.

3.2. Le désir n'est pas le besoin

Pour vivre, nous avons besoin de respirer, de boire, de manger. Si nous cessons de respirer, de boire, de manger, nous mourons aussi sûrement que deux et deux font quatre. Par ailleurs, nous pouvons avoir envie de manger des profiteroles au chocolat ou de boire un coca light. Si nous nous les refusons parce que nous savons qu'ils peuvent nuire à notre santé (nous avons une prédisposition à l'obésité ou le foie fragile), nous serons frustré mais notre vie ne sera pas en danger, notre intégrité physique non plus. Tous les parents savent que la bouche ne désire pas nécessairement ce dont le corps a besoin. La bouche est un organe désirant. Le désir est culturel, il est appris et partiellement conditionné (notamment par la publicité). L'organisme, lui, est une mécanique soumise à des besoins métaboliques. Le besoin est instinctif, naturel, universel (les indiens arborigènes connaissent les mêmes besoins biologiques que les Parisiens, les Berlinois ou les Madrilènes).

Il en va de même sur le terrain psychique. En tant qu'êtres humains, nous avons besoin d'aimer et d'être aimé. Il s'agit d'un besoin universel, vital, impératif. Cela étant, nous pouvons désirer affectivement ou sexuellement telle personne ou souhaiter être aimé de telle autre. Si celle-ci se refuse, nous en éprouverons frustration et peut-être désespoir momentané. Cela ne nous empêchera pas de continuer à vivre et à poursuivre notre quête d'amour. Notre intégrité psychique n'est pas menacée. (Si elle l'est, nous avons affaire à une situation pathologique.) En revanche, si nous ne sommes pas aimé, si notre quête de reconnaissance aboutit au vide ou au néant, nous flirtons avec la mort psychique (la dépression, la folie) et le cas échéant avec la mort physique (le suicide).

En résumé : la satisfaction du besoin est un impératif de survie, la réalisation du désir, non.

Dès lors, comment opérer cette disjonction besoin/désir sans frustrer, sans déplaire ?

Si l'on admet que l'enfant ne désire pas nécessairement ce dont il a besoin et qu'il peut même désirer des choses qui lui sont nuisibles, comment concilier les deux ? Comment répondre à un besoin sans contrarier un désir ? C'est là chose impossible. La relation pédagoqique est soumise au même principe. Comment un enseignant peut-il instruire, c'est-à-dire organiser un savoir, sans bousculer des habitudes, sans déranger, sans bouleverser un confort mental préalablement installé ?[9] La relation psychothérapeutique relève d'un processus identique. Comment aider un patient à se libérer des démons intérieurs qui

---

9 Par nature, la pédagogie est toujours dérangeante puisqu'elle vient bousculer nos habitudes intellectuelles, nos croyances, nos partis-pris, nos préjugés, le confort de nos rangements mentaux.

hypothèquent son existence, sans fragiliser ses résistances, sans le déloger du confort relatif du statu quo névrotique, sans l'inviter progressivement à voir ce qu'il refuse précisément de voir, bref sans le caresser... à rebrousse-poil ?

En résumé, ces deux types de relation impliquent une intersubjectivité radicalement opposée. Dans la relation de séduction, mon souci est de présenter à l'autre une surface polie (aux sens propre et figuré). Dans la relation d'éducation, mon devoir est de polir sans relâche une surface rugueuse, impétueuse qui résiste naturellement à cette opération dérangeante. Le tableau qui suit permet de saisir en un seul regard cette différence irréductible.

	SÉDUCTION	ÉDUCATION
Mode	continu ou discontinu	continu
Registre	obligation de plaire	risque de déplaire
Enjeu	la personne de l'autre comme « être-là » et objet à conquérir	la personne de l'autre comme « être-en-devenir » et sujet à construire
Finalité	un bénéfice social (politique, commercial) ou psychologique	un bénéfice existentiel
Type de relation	symétrique égalitaire (amants) symétrique non égalitaire complémentaire	asymétrique inégalitaire
	Primauté du désir	Rencontre du désir et de la loi Primauté du besoin
		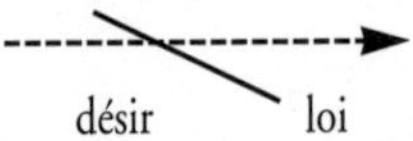
	désir	désir loi
	Présentation d'une surface polie	confrontation à une surface à polir

3.3. Éduquer, c'est souffrir

On comprend, dès lors, que la position éducative est une position éminemment problématique, qu'elle soit source d'inconfort, voire même de souffrance pour l'adulte. Lorsque je diffère l'achat d'un jouet ardemment désiré par mon enfant, lorsque j'interdis à mon fils de regarder sa cassette vidéo préférée parce que j'estime qu'il ne l'a pas méritée ou que je prive ma fille de dessert parce qu'elle n'a pas rangé sa chambre nonobstant de multiples avertissements, je puis prévoir que, pendant les secondes, les minutes, parfois les heures, qui vont suivre, l'enfant va me haïr pour avoir entravé son élan, pour avoir dérouté son inclinaison. Son amour se teintera d'ambivalence. Il sera perverti par une flamme de haine momentanée qui me vrillera le cœur. **Comme parent ou comme éducateur, nous devons être capable de soutenir ce regard, cette brillance mortifère, cette flamme térébrante, cette suspension d'amour.** Plus facile à dire qu'à faire ! Nous sommes tellement avide de l'amour de nos enfants. Si tant de parents sont paralysés lorsqu'ils doivent sévir, c'est parce qu'ils ont peur de n'être plus aimés, qu'ils sont incapables, par faiblesse ou couardise, de mettre une sourdine à leur avidité d'amour et de soutenir le « regard meurtrier » de leurs enfants.

Éduquer exige une ossature mentale que tous les adultes ne possèdent pas et qui permet de résister à l'agressivité de l'enfant. Mais c'est aussi un pari sur l'aptitude de l'enfant à comprendre a posteriori (« plus tard, tu comprendras ») qu'il serait tellement plus commode pour papa ou maman de laisser-faire sans rien dire.

Un désir dont la satisfaction est barrée génère inévitablement de la frustration, donc une probable agressivité. Cette agressivité peut s'exprimer de diverses manières : franche ou larvée, immédiate ou différée, avec des mots ou avec des gestes. Mais on assiste aujourd'hui à l'émergence de formes nouvelles d'expressions violentes, observées de plus en plus tôt chez les enfants. Cela inquiète parents et maîtres. Parmi celles-ci, cette micro-violence quotidienne banalisée qu'on nomme : incivilités.

4. Les incivilités

« Cette fille est d'une impolitesse inqualifiable », « ce garçon est grossier », « cet homme est un malappris ». Là où l'on parlait de « mauvaise éducation », d'impolitesse et de grossièreté, on parle aujourd'hui d'« incivilités ». De quoi s'agit-t-il ? Comment définir ces actes ainsi vils ?

Comme un ensemble de comportements très disparates qui ont néanmoins deux choses en commun :

- à proprement parler, ils ne transgressent pas une loi, un règlement (ils ne relèvent donc pas de la délinquance ou des conduites violentes) ;
- néanmoins, ils ont pour effet de gèner, perturber, déranger, choquer l'entourage.

Nous vivons une époque de raffinement linguistique où l'on se croit obligé d'aseptiser les réalités trop crues, de les encapuchonner sous un voile pudique en les rebaptisant. Ainsi, les clochards, deviennent des SDF, les aveugles, des mal-entendants et les handicapés, des PMR (personnes à mobilité réduite). Magie sémantique ! [Monsieur Propre lave plus blanc que blanc !] On peut se demander si ce nouveau terme « incivilité » ne répond pas au même souci de polir le bois brut et n'est pas, en définitive, une nouvelle étiquette « clean » collée sur une vieille bouteille poussiéreuse. La vérité est sans doute plus complexe et l'on pourrait simultanément répondre « oui » et « non ». Oui, parce qu'à l'évidence, ce sont les mêmes comportements qui sont visés. Non, parce que la nouvelle étiquette n'a pas tout à fait la même coloration, Elle traduit les mêmes choses, mais dans une autre tonalité, un peu comme dans une transposition musicale. En réalité, ce glissement sémantique témoigne d'une évolution des mœurs et d'un changement de mentalités. Je m'explique. Les mots « impolitesse » ou « grossièreté » renvoient à un jugement moral. Le terme « incivilité » relève d'un constat social. Les premiers s'évaluent à l'aune de critères de convenances et de conformité à une norme communément admise (l'enfant grossier est malappris ; il est pris en défaut d'éducation, de bonne éducation). Les seconds s'évaluent à l'aune d'un critère de perturbation d'un ordre relationnel et social (l'enfant « incivil » dérange l'ordonnancement des rapports entre les gens au sein du groupe).

Dans les écoles comme dans les familles, j'entends souvent fustiger les incivilités des jeunes. Mais, en même temps, je constate la difficulté de les circonscrire. À l'évidence, tous les adultes ne rangent pas les mêmes objets dans le même tiroir. Érodé par l'usage, le mot est devenu un fourre-tout, un terme à géométrie variable. Pour mettre un peu d'ordre dans ce fourbi, je me suis livré à une modeste recherche personnelle sans prétention scientifique, mais néanmoins révélatrice. Lors de mes sessions de formation, j'ai demandé aux enseignants, éducateurs, parents, de préciser, d'expliciter, ce qu'ils mettaient sous ce vocable. « Vous dites que cet élève est grossier. J'entends bien. Mais, concrètement, qu'est-ce que cela veut dire pour vous ? Donnez moi des exemples de comportements que vous qualifiriez d'incivilités. »

Je constate alors deux choses :

- cette appellation est entachée d'une bonne part de subjectivité. Certains adultes qualifient de grossiers des comportements dont d'autres s'accomodent. Les seconds en revanche expriment leur désapprobation ou leur difficulté à tolérer des actes que les premiers ne remarquent même pas (exemple : porter une casquette pendant les cours, macher un chewing-gum...) ;
- se dégage néanmoins un consensus sur certaines conduites unanimement désapprouvées : les incivilités verbales négatives, c'est-à-dire des formules de politesse dont on déplore qu'elles soient si souvent aux abonnés absents.

Ainsi, j'observe un accord quasi général sur quatre « formules de politesse » qui, au grand dam des adultes, semblent avoir pris leur retraite anticipée. Détaillons-les et tentons de comprendre en quoi leur disparition nous interpelle ?

a) Bonjour – Au revoir

À une certaine époque, lorsque je pénétrais le matin dans la salle à manger, je trouvais mon fils occupé à grignoter son petit déjeuner, les yeux rivés sur sa tartine ou sur je ne sais quels lambeaux de rêves nocturnes. Il ne me disait pas bonjour. Il ne levait même pas la tête. Cela ne me plaisait pas. Je lui fis la remarque et, au bout de quelques jours, il me dit : « mais enfin, papa, qu'est-ce que cela peut te faire ? Pourquoi dire bonjour alors qu'on s'est vus hier soir ? » Les enfants ont cette aptitude à poser les questions difficiles et à nous mettre en demeure de réfléchir à nos propres réactions. Sa question m'obligeait à regarder en moi et à admettre que ce mot absent pour des raisons évidentes à ses yeux me manquait cruellement. Cette attitude me peinait, m'attristait, m'affligeait. Je finis par lui dire : « lorsque j'entre dans la pièce, le matin et que tu ne me regardes pas, j'ai l'impresssion d'être transparent, de ne pas exister et surtout de ne pas exister pour toi ». Il a compris. Depuis, le bonjour matinal refleurit sur ses lèvres à ma plus grande satisfaction. Mais cette restauration du rite matinal a exigé une explication précédée d'une auto-réflexion.

« Bonjour » n'est ni un geste compassé, ni un rituel de pure forme. C'est un mot chargé de signification affective. D'ailleurs, dans les relations sociales, le fait de s'en abstenir ostensiblement est souvent vécu comme un affront (« tu te rends compte, on se connaît depuis vingt ans et elle ne m'a même pas dit bonjour ! » ou pis encore : « il a fait comme si je n'étais pas là ! »). Dire « bonjour », c'est dire à l'autre qu'il existe pour moi à partir du moment où il entre dans mon champ de vision ou dans l'espace commun. Le voir et en témoigner par un mot (bonjour), un clignement de paupières ou un simple geste de la main, c'est entériner sa présence, la rendre remarquable. C'est témoigner de la différence entre deux moments, le temps de sa présence et le temps de son absence. C'est signifier : que tu sois là ou pas là n'est pas indifférent. Si, en plus, au mot « bonjour » s'adjoint la nomination de la personne c'est-à-dire l'énoncé de son nom (« bonjour papa », « bonjour Francesca », « bonjour monsieur Duval »), c'est l'identifier en tant que personne, forme signifiante se détachant du fond indifférencié des contacts sociaux. C'est surligner la relation duelle dans la masse opaque de la foule. C'est le sortir de l'anonymat. C'est dire : tu n'es pas n'importe qui, tu as un nom.

b) Merci – S'il te plaît !

Si j'en crois les adultes, les jeunes ont perdu l'usage du « merci – s'il te plaît ». Ces expressions ne font plus partie de leur vocabulaire courant. Elles sont mises au rancard des formules protocolaires ringardes. On peut légitimement s'en inquiéter car ces mots relèvent de la socialisation élémentaire. Apprendre très tôt à l'enfant à dire « merci » et « s'il te plaît », est tout aussi important que de lui apprendre à dire « bonjour ». Pourquoi ? D'abord, parce que c'est lui inculquer un principe essentiel de réalité. Dans la vie, les choses ne tombent pas à la verticale comme une manne céleste. Il ne suffit pas d'ouvrir la bouche pour recevoir. Il ne suffit pas de claquer des doigts pour obtenir. Bref, tout n'est pas dû. Ensuite, c'est l'introduire au principe de liberté. Le don n'est pas une obligation. L'autre est libre de sa réponse. Il peut donner ou refuser. C'est marquer la différence entre recevoir et prendre, entre demander et exiger.

N'est-ce pas précisément cela qui donne valeur au don ? Si tout m'est dû, le don n'a aucune valeur. Je n'ai pas à remercier. Je n'ai pas à manifester de la gratitude. C'est normal. Cela va de soi. En revanche, si l'objet se fait attendre, si je ne reçois pas ce que je considère comme un dû, on me frustre de quelque chose auquel j'ai droit. Je serai en colère et, le cas échéant, je me vengerai.

Ce qui fait la valeur d'une chose, c'est précisément le fait que son obtention ne va pas de soi, qu'elle n'est pas une évidence, une certitude, qu'elle est un don et que celui-ci appelle la reconnaissance. Apprendre aux enfants à dire « merci », c'est leur apprendre une vertu capitale : la gratitude[10].

---

10 Pour plus de détails à ce sujet, cf. Patrick Traube, *Garder ses amis, nourrir ses amours*, Éditions Labor, 2001.

c) Puis-je entrer? Est-ce que je ne vous dérange pas?

«Bonjour», «bonsoir», «merci», «s'il vous plait» font partie des usages généralement respectés dans le monde adulte. En revanche, «puis-je entrer» ou «est-ce que je vous dérange?» sont des précautions oratoires souvent méconnues par les adultes eux-mêmes. Cette abstention, je la vis quotidiennement. Sur mes lignes téléphoniques privée ou professionnelle, je reçois beaucoup d'appels (d'autant que je ne possède ni fax, ni e-mail!). Une chose me surprend toujours. Rares sont les interlocuteurs qui, avant de donner l'objet de leur appel, prennent la peine de me demander «Monsieur Traube, est-ce que je ne vous dérange pas?» ou «Patrick, as-tu cinq minutes à me consacrer?». Ce comportement m'irrite et m'agace. C'est une intrusion inopportune. L'autre m'impose sa présence (téléphonique) sans me demander si je suis disponible pour l'entendre. C'est comme s'il entrait chez moi, sans frapper.

Ces expressions inchoatives (préparatoires à l'action, ici à la conversation) sont importantes. Elles signifient que l'espace ne nous appartient pas, que nous n'en sommes pas les propriétaires exclusifs, que nous devons le partager.

Elles établissent des distinctions fondamentales, notamment la dissociation entre mon espace privé, l'espace commun, et l'espace privé de l'autre.

Utiliser ces expressions, c'est accepter que je ne sois pas nécessairement désiré là où je crois l'être et au moment où je le souhaite. C'est respecter l'espace privé de l'autre. C'est frapper à la porte avant d'entrer. C'est reconnaître que la porte est un sas, un lieu de transition, une césure entre mon espace et celui de l'autre. Apprendre à l'enfant à user de cette précaution, c'est lui dire qu'il n'est pas chez lui partout. C'est lui inculquer une seconde vertu cardinale: le tact.

d) Excusez-moi – Pardon!

J'entends souvent des professeurs se plaindre du sans-gêne des élèves. Ils sont bousculés dans les couloirs de l'école par des jeunes qui s'esbaudissent avec une juvénile exubérance et qui, après les avoir heurtés, poursuivent leur chevauchée sans même se retourner. Ils ne s'excusent pas. On se demande même s'ils se sont rendu compte qu'ils auraient pu provoquer une chute. Bien sûr, il n'y a pas intention malveillante. Bien sûr, c'est dans le feu de l'action ou l'excitation du jeu. Bien sûr, ce sont des dégats collatéraux, non sciemment voulus. N'empêche! Je te bouscule et je poursuis mon chemin comme si de rien n'était.

Pourquoi le mot «pardon» a-t-il sa place dans le vocabulaire courant?

Parce que ce mot témoigne que

- je reconnais la réalité du préjudice causé (reconnaissance du fait et de sa signification);
- même si je ne l'ai pas fait exprès, si je ne l'ai pas voulu, j'en assume la responsabilité.

C'est, encore une fois, opérer une distinction essentielle: entre intention et effet.

Cette distinction n'est pas toujours évidente, même chez les adultes.

En nos contrées, une expression courante proclame *urbi et orbi*: «c'est l'intention qui compte». C'est faux! C'est d'ailleurs à ma connaissance un des rares cas où la sagesse populaire, généralement pertinente, est prise en défaut. Dans les relations humaines, ce sont les effets réellement produits qui priment sur les intentions*. On peut l'observer tous les jours. L'enfer est pavé de bonnes intentions et les intentions les plus innocentes, voire les plus vertueuses, peuvent accoucher de conséquences catastrophiques. Que de fois ne nous arrive-t-il pas de dire ou de faire quelque chose et de produire chez l'autre une réaction (de peur, de tristesse, de colère) qui nous étonne, nous surprend. Nous disons alors : « je n'ai pas voulu ça ». Non ! Nous ne l'avons pas voulu mais nous l'avons produit.

Les enfants doivent apprendre à opérer cette distinction. Vers l'âge de sept ans, ils commencent à comprendre que l'on peut faire du mal sans le vouloir. À huit ou neuf ans, ils peuvent apprendre à tenir compte des sentiments des autres, des préoccupations des autres, des réactions des autres. Le mot « apprendre » est important. Il indique que cela ne vient pas tout seul. Le penchant naturel du petit d'homme consiste à agir selon l'impulsion, l'envie, la fantaisie du moment. Il faut donc saisir les opportunités de la vie quotidienne pour le lui expliquer avec des mots simples et à sa portée.

Pour conclure ce chapitre, remarquons que toutes ces « civilités » ont un point commun. Elles sont les expressions courantes de rites fondamentaux qui scandent la vie sociale : les rites de séparation, de distinction, de dissociation. Ces distinctions élémentaires sont importantes parce qu'elles instaurent un ordre dans le chaos et permettent aux interactions quotidiennes de s'établir dans le respect de chacun, sans trop de heurts et avec un maximum de bonheur.

---

* Du moins en psychologie. Par contre, le droit qui gère les relations humaines et sociales fait la distinction entre un préjudice causé volontairement ou non.

En résumé :

RITES	DISTINCTIONS entre :	
Bonjour/Au revoir	Temps de la présence de l'autre	Temps de son absence
Merci/ S'il te plaît	Ce qui m'est dû	Ce qui m'est offert
Puis-je entrer ?	Mon espace Ma demande	L'espace de l'autre La liberté de l'autre devant ma demande
Excusez-moi !	Mon intention	L'effet que je produis

Une fois établie la ligne de démarcation entre éduquer et séduire, la césure entre déviance et incivilités et une fois posé le caractère incontournable de la règle et de la sanction en éducation, demeure la question pratique : régir et sévir ! Oui, mais comment ?

5. La règle en éducation

Invité dans une école pour animer une journée de stage avec un groupe de professeurs, j'assistai, par le plus grand des hasards, à un bref incident. Le repas de midi avait été confectionné et servi par les classes « cuisine » et « service de salle » de l'établissement et celles-ci, pour l'occasion, avaient, comme on dit, « mis les petits plats dans les grands ». Satisfait des mets et du service, notre groupe suggéra à l'inspectrice-organisatrice de sonner l'appel des mirlitons pour les congratuler. Quelques minutes plus tard, une dizaine d'élèves intimidés faisaient leur entrée dans le mess de l'école. C'est alors que l'incident se produisit. Leur professeur fit soudain un signe de la main au dernier de la file (un adolescent d'une quinzaine d'années) lui enjoignant de faire demi-tour et de regagner les cuisines. Le garçon obtempéra de mauvaise grâce. Voyant que j'avais surpris son geste, la dame se mit en devoir de me donner une explication que je ne lui demandais pas. « On ne se présente pas devant les convives, me dit-elle sur un ton péremptoire, avec un anneau à l'oreille ». Stupéfait, je lui demandai en quoi le port d'un anneau à l'oreille faisait du porteur un mauvais cuisinier ou un serveur déméritant. Catégorique, elle me répondit : « ça ne se fait pas ! Un point, c'est tout. »

Il ne s'agit pas de stigmatiser ici une école ou l'attitude d'un adulte en particulier. Toutes les écoles du monde et bon nombre de familles sont le théâtre de telles scènes. Mais personnellement, elle me pose question. J'ignore comment cet adolescent de quinze ans a réagi après coup à cette sanction humiliante. Mais il y a une chose dont je suis certain : à sa place, je me serais présenté le lendemain à l'école avec deux boucles d'oreille au lieu d'une, un percing au milieu de la langue et peut-être avec les cheveux teint en vert pomme ou en rouge amarante. N'étant pas à sa place mais à la mienne, je me suis contenté de me poser la question suivante : si, à quinze ans, ce jeune homme est privé du droit de se distinguer, de s'originaliser, de porter les signes d'appartenance qui l'affilie à son groupe (groupe des « jeunes »), voire de s'opposer (tout pacifiquement, notons-le !) à la culture sociale ambiante et aux mœurs de ses ainés, quand pourra-t-il le faire ? Et puis, surtout, comment le fera-t-il ?

Sans doute, la motivation du professeur était-elle louable (accordons-lui ce bénéfice). Sans doute, cette dame met-elle un point d'honneur à enseigner à ses élèves les règles du savoir-vivre parce qu'elle estime que cela fait partie de sa mission. Mais, on l'a dit, l'enfer est pavé de bonnes intentions, et les meilleures intentions du monde peuvent accoucher d'effets catastrophiques. Il est certain que ce geste comminatoire de renvoi aux cuisines a dû être subjectivement ressenti par l'élève comme une injustice, un geste gratuitement « persécuteur ». On va tenter de le comprendre.

Ce professeur n'accepte pas que ce garçon porte un anneau aux oreilles. Pourquoi ? En quoi est-ce gênant pour les autres, pour l'établissement, pour l'ordre public ? Pourquoi est-ce proscrit ? Parce que cela représente un danger ? Si oui, lequel ? Nouer ses cheveux derrière la tête (si on les porte longs) ou les maintenir solidement arrimés dans un bonnet sont des obligations qui, pour les cuisiniers, ne manquent pas de justifications objectives : l'hygiène et (dans les cuisines mécanisées d'aujourd'hui) la sécurité. En revanche, en quoi le fait de porter un petit anneau d'argent bien fixé à l'oreille droite comporte-t-il un danger ou est-il contraire à l'hygiène ? J'ai cherché une légitimité objective à cette règle afin de comprendre l'attitude du professeur. En vain ! Je ne me suis pas avoué vaincu. Lors d'une session ultérieure, j'ai tenté une petite expérience. J'ai raconté l'épisode à un autre groupe de professeurs (en respectant l'anonymat de l'établissement qui en avait été le théâtre) et leur ai demandé comment ils auraient réagis, dans la même situation. Le groupe s'est alors scindé en deux camps. Certains ont répondu : « J'aurais agi de la même façon », d'autres ont répliqué : « Moi, j'aurais laissé passer ». J'ai posé la question suivante : un garçon de quinze ans qui porte un anneau à l'oreille, qu'est-ce que cela évoque pour vous ?

Des premiers, j'ai obtenu trois réponses :

- ça fait loubard ;
- ça fait macho ;
- les boucles d'oreilles, c'est pas fait pour les garçons.

Des seconds, j'ai obtenu deux réponses :

- je trouve qu'un anneau ou une boucle d'oreille, c'est joli ;
- j'y vois le signe d'une certaine féminisation des mœurs et je trouve cela plutôt positif.

De toute évidence, l'anneau auriculaire renvoie, selon les personnes, à des significations différentes, voire radicalement opposées (loubard-macho vs féminin). La réaction de l'adulte (« j'aurai fait pareil » ou « je ne serais pas intervenu ») est donc motivée par la représentation mentale personnelle de l'objet du litige.

Et c'est ici que s'ébauche à pas feutrés la dérive éducative...

Les représentations mentales sont notre lot commun. Intégrées à notre fonctionnement psychique, elles nous permettent d'ordonner le monde, de le comprendre pour mieux le contrôler ou, à tout le moins, de nous en donner l'illusion[11]. En tant qu'éducateurs, enseignants ou parents, par quelle magie en serions-nous exemptés ? Nous avons parfaitement le droit d'avoir des opinions. Nous avons même le droit d'avoir des préjugés, des stéréotypes, des idées-toutes-faites, pré-embalées et prêtes à l'emploi (qui peut se prétendre vierge de toute idée préconçue ?). Nous avons même le droit de les exprimer. La liberté de pensée et d'expression est un droit constitutionnel. Mais ce droit, comme tout droit fondamental, a ses limites. Comme adultes, nous les outrepassons lorsqu'à la faveur d'une relation de pouvoir (élève/professeur, parent/enfant) nous imposons d'autorité notre opinion, notre préjugé, notre valeur, comme une vérité universelle ou un impératif catégorique. Que se passe-t-il alors ? Quelle est la nature de l'opération en cours ? Tout simplement un glissement subreptice d'un registre à un autre, du registre de l'idéologie à celui de la norme. Fort de l'autorité constitutive de toute relation asymétrique (la relation éducative est non égalitaire), nous érigeons notre idéologie en vertu absolue,

---

11 Pour plus de détails sur le rôle des représentations mentales et notamment des stéréotypes sexistes, cf. Patrick Traube, *Éloge du prêt-à-penser*, Bruxelles, Labor, 2002.

en norme transcendante, en évidence indiscutable. Nous imposons alors à l'autre ou aux autres les normes qui en découlent. Ce faisant, nous passons de l'exercice d'une autorité légitime à un abus d'autorité.

Revenons à mon exemple. Si cette dame avait dit au jeune : « moi, je n'aime pas trop qu'un garçon porte un anneau », ou encore : « mon opinion est que cet objet n'a pas sa place à l'école », c'eût été une attitude acceptable. Encore plus acceptable aurait été une explication du genre : « J'interdis le port des anneaux en cuisine parce que je n'ai qu'une confiance limitée dans leur système de bouclage. » Mais ce n'est pas ce qui s'est passé. Elle a imposé à l'élève ses propres valeurs en les parant des vertus de l'évidence et en les érigeant en normes absolues (« ça ne se fait pas ; un point, c'est tout ! »). Elle a sanctionné l'élève pour y avoir dérogé. C'est un abus de pouvoir, doublé d'une provocation parfaitement inutile. J'ai appris, par la suite, que cette dame ne manquait jamais une occasion de se plaindre auprès de ses collègues de la violence « gratuite » (!) des jeunes.

Cet exemple nous indique qu'une règle inadéquate, mal arrimée, soutendue par une légitimité floue ou une valeur discutable, est perçue comme persécutrice. Il nous conduit à nous poser la question : qu'est-ce qui différencie la « bonne règle » de la « mauvaise règle », la règle éducative de la règle anti-éducative ?

6. Les dix conditions d'une règle éducative

Une règle éducative se reconnaît en ce qu'elle est **perçue** par l'enfant comme légitime, juste, non persécutrice et non arbitraire. J'insiste à dessein sur le mot « perçue », car encore une fois, la manière dont la règle est reçue dépend plus de son impact effectif, c'est-à-dire de l'effet réel subjectivement ressenti, que de l'intention de celui qui l'édicte. De nombreuses règles sont imposées aux enfants et aux adolescents « pour leur bien », avec une volonté sincère de « bien faire » et font des dégâts considérables ! Dès lors, fidèles à notre habitude, définissons d'abord la chose a contrario, par défaut, c'est-à-dire par ce qu'elle n'est pas. Formulons autrement la question de départ : quand une règle est-elle négative, anti-éducative, c'est-à-dire perçue comme « persécutrice » ?

Une règle sera subjectivement perçue comme une imposition persécutrice quand elle est :

- **inadéquate** à l'aune de l'âge de l'enfant, de ses possibilités réelles ou de sa situation concrète. Exemples :
  - Julien (3 ans), n'ouvre pas la bouche quand il y a un visiteur a la maison !,

– Olivier (36 ans), moi, ta mère, je t'interdis de sortir avec cette femme!

- purement **formelle**
  – Pourquoi n'ai-je pas le droit d'aller aux toilettes pendant le cours?
  – Parce que le règlement l'interdit dans son paragraphe 2, alinéa 5.

- **arbitraire**
  La règle varie selon la personnalité de l'adulte, ses sympathies, ses antipathies ou son état d'humeur.
  – Pourquoi suis-je puni et pas Valentin, alors qu'on a fait le coup ensemble?
  – Parce que j'ai un œuf à peler avec toi et que je t'emm.... jusqu'au bout!

  – Maman, pourquoi n'ai-je pas le droit de sortir ce soir, comme tous les samedis?
  – Parce que, ce matin, ton père m'a fait une vacherie et que je suis en colère contre lui.

- **injuste**
  La règle est élastique; elle ne s'applique pas à tous de la même manière. Certains doivent s'y soumettre, d'autres pas. À son endroit, tous ne sont pas égaux. Elle varie selon celui auquel elle s'applique (règle à géométrie variable c'est-à-dire « à-la-tête-du-client »).
  – Pourquoi dois-je ranger ma chambre tous les matins, alors que tu ranges celle de Fabrice (mon frère jumeau)?

- **non comprise** dans sa légitimité
  – je t'interdis ceci
  – Pourquoi?
  – Parce que c'est comme ça!

– Je t'ordonne de faire cela
– Pourquoi?
– Parce que je le veux!

- **ambiguë**
  – Hier, j'ai mangé le bâton de chocolat complet, tu n'as rien dit; aujourd'hui tu me punis.
  – Hier, c'était hier. Aujourd'hui, c'est aujourd'hui!!!

ou

– Hier, j'ai vidé la boîte de biscuits et tu n'as rien dit, aujourd'hui tu râles.
– Hier, c'était dimanche et le dimanche, tu peux.
– J'avais compris que je pouvais les jours où il n'y avait pas école.

À présent, inversons le sablier. Positivement, pour qu'une règle soit éducative, maturative, structurante, il faut qu'elle présente les caractéristiques contraires, c'est-à-dire qu'elle réponde aux dix conditions suivantes.

6.1. Il faut que la règle ... existe!

Chez vous, les enfants sont-ils autorisés à se lever de table avant la fin du repas? Sont-ils autorisés à jouer dans leur chambre avant de se coucher? Ont-ils droit à leur dessert même s'ils n'ont pas vidé leur assiette? Dans votre école, les cartables peuvent-ils être abandonnés dans les couloirs pendant les cours? Les walkmans sont-ils autorisés pendant les récréations? Peut-on manger ses tartines pendant les heures d'atelier? etc. Lorsqu'on m'expose une situation-problème dans une famille ou un établissement scolaire, je pose souvent la question « quelle est la règle en vigueur dans cette situation ». Il arrive fréquemment qu'on me réponde « il n'y en a pas » ! Comment se référer à une règle qui figure aux abonnés absents ? L'évidence de la chose n'exclut pas qu'on la rappelle : pour qu'une règle soit éducative, il faut d'abord... qu'elle existe.

6.2. Il faut que la règle soit connue

– À la maison, quel est le temps maximum quotidien accordé aux enfants pour les jeux électroniques ?
– On en a déjà discuté, mon mari et moi. On a décidé quelque chose... mais je ne m'en souviens plus.

– À l'école, lorsqu'un élève a des griefs à faire valoir ou une injustice à dénoncer, y a-t-il une procédure prévue à cet effet ?
– Je sais qu'il y en a une. Le règlement d'ordre intérieur prévoit ce cas de figure... mais je ne la connais pas.

Lorsqu'on m'expose une situation-problème dans une école et que je m'informe de la règle établie en la matière, je m'entends souvent répondre : « il y a une règle, mais laquelle ? » Parfois même : « il y a une règle, mais personne ici ne la connaît ! »

Le principe de base d'un fonctionnement démocratique est : « nul n'est censé ignorer la loi. » Certes, l'école n'est pas une démocratie et ne le sera jamais. Mais elle est néanmoins le lieu privilégié d'apprentissage de la démocratie. Or, si l'on estime que les valeurs démocratiques ne s'apprennent pas seulement dans les cours de morale ou de civisme, mais surtout à la faveur des interactions quotidiennes, l'école ne peut impunément les bafouer. Il importe donc que la règle soit connue de ceux à qui elle s'applique, comme de ceux qui sont chargés de la faire appliquer. Il importe aussi qu'elle soit écrite, plutôt que tacite de manière à pouvoir être consultée par tous et à tout moment. Le cas échéant, elle pourra être affichée à titre de rappel. La publicité de la règle est constitutive d'un fonctionnement démocratique parce qu'elle est l'antidote le plus efficace au secret, à la manipulation, à l'arbitraire et à la désinformation.

6.3. Il faut qu'elle soit claire et non ambiguë

Dans certaines écoles, comme dans certaines familles, les règles existent et sont connues. Elles posent néanmoins problème parce qu'elles ne sont pas claires, qu'elles laissent place à des interprétations multiples, voire opposées. Il arrive même qu'une règle dise simultanément une chose et son contraire. J'estime qu'une attention toute particulière doit être accordée à la manière de formuler la règle, c'est-à-dire aux mots qui sont utilisés pour dire le droit. On m'objecte parfois que la formulation des règles est un exercice difficile qui prend du temps. Je réponds qu'une formulation maladroite créera, à terme, des conflits dont la résolution en prendra plus encore.

6.4. Il faut qu'elle soit juste et non arbitraire

De nombreux problèmes dans les écoles et dans les familles proviennent du fait que les règles ne sont pas les mêmes pour tous ou qu'elles ne s'appliquent pas à tous de la même façon. À leur endroit, tous sont égaux (dans le principe), mais certains sont plus égaux que d'autres (dans la réalité). Elles clignotent selon l'humeur de l'adulte ou la variabilité de ses sentiments. Les « chouchous » bénéficient d'une indulgence outrancière. On ferme les yeux sur leurs agissements. Cette situation crée un sentiment d'injustice et d'arbitraire qui creuse le lit de toutes les violences[12]. Il importe que la règle soit la même pour tous et qu'elle s'applique à tous de la même façon, indépendamment des aléas des sentiments personnels et des soubresauts des humeurs momentanées.

6.5. Il faut qu'elle soit pertinente

« Pour des raisons de sécurité, le port du casque est obligatoire sur les chantiers. » « Pour des raisons de sécurité, on ne touche pas aux allumettes et on ne fume pas dans l'atelier menuiserie. » « Pour des raisons d'hygiène, on se lave les mains avant de manipuler les aliments. » « Pour favoriser l'efficacité du débat, chacun demande la parole avant d'intervenir. » ....

12 Pour plus de détail sur les mécanismes de production de la violence et la gestion positive des conflits, voir Patrick Traube, *Propos sur la violence*, in Éducation-Formation U.LG, Juin/Sept 96 ; *Violence : courte folie !* in Revue D.G.O.E. 10/90 ; *Violences : côté face et profil*, CDRS 2001.

La pertinence de la règle, c'est sa justification objective, la raison qui fonde sa légitimité.

Aujourd'hui, nous ne pouvons plus faire l'économie d'une réflexion permanente sur le bien-fondé des règles que nous imposons. Si, chez moi, dans ma classe, dans mon établissement, ceci est obligatoire et cela interdit... pourquoi ? Qu'est-ce qui justifie cette prescription ou cette proscription ? Généralement, une règle est fondée lorsqu'elle s'appuie sur un impératif de protection (de la personne, du groupe, de l'institution) ou d'efficacité dans l'accomplissement de la tâche ou de la mission.

6.6. Elle doit être expliquée dans sa légitimité

Voici quelques années, je travaillais avec l'équipe éducative d'un lycée de l'agglomération bruxelloise. Cet établissement ne connaissait pas de problèmes aigus de violence mais, comme de nombreuses écoles, se voyait confronté à la difficulté de faire respecter les règles établies. Il y avait notamment un problème chronique, récurrent, objet des plaintes des enseignants. Les élèves avaient pris l'habitude d'empiler leurs cartables le long des murs du couloir donnant accès aux classes et à la porte de sortie principale. Il y eut des rappels de la règle, des sanctions, des interventions répétée du proviseur. Rien n'y fit. Je posai la question suivante : a-t-on expliqué aux élèves pourquoi on leur interdisait de déposer leurs cartables à cet endroit. « Non, me répondit-on. Est-il nécessaire d'expliquer des choses qui vont de soi ? » De toute évidence, cela allait de soi pour les adultes mais pas pour les élèves. Je revis cette équipe quatre mois plus tard. Je m'enquis de l'état de la situation et m'entendis répondre: « il n'y a plus de problème ». Miracle ? Non ! On avait seulement pris la peine de réunir les élèves et de leur expliquer qu'il s'agisait d'une question de sécurité. En cas d'évacuation des lieux, il importait que l'accès aux sorties ne soit pas entravé. Le résultat fut immédiat. Certes, de temps à autre quelques cartables empilés faisaient encore un brin de causette dans le voisinage des portes. Mais le problème avait cessé d'être chronique.

Cet exemple nous permet de toucher du doigt une erreur fréquente en éducation. Elle consiste à **supputer que ce qui va de soi pour nous, va de soi aussi pour les enfants.** L'expérience nous montre que c'est rarement le cas. Lorsqu'on édicte une règle, il est indispensable d'en expliciter la pertinence et la légitimité. En tant qu'adultes, ne sommes-nous pas logés à la même enseigne ? Qui, parmi nous, accepterait d'obtempérer à un ordre, sans en comprendre le bien-fondé ?

Les règles posent souvent problème parce qu'on ne prend pas la peine d'en expliquer la raison d'être. **Or, une règle qui n'est pas comprise dans sa légitimité, est inévitablement vécue comme gratuitement persécutrice** (« c'est pour nous emm... ! »).

6.7. Il faut que la règle soit évolutive

Le monde change et se complexifie chaque jour davantage. En conséquence, une règle pertinente hier, ne l'est plus nécessairement aujourd'hui. Une règle pertinente aujourd'hui, ne le sera peut-être plus demain. Dans un état démocratique, la loi s'adapte à l'évolution des mœurs et des mentalités. Le travail législatif est un travail permanent. Les assemblées parlementaires siègent sans discontinuer. Elles créent, modifient, amendent, les lois. Certaines disparaissent après des décennies de bons et loyaux services tout simplement parce qu'elles sont devenues obsolètes.

Il en va de même dans les micro-sociétés que constituent nos familles et nos écoles. Comme toute institution, elles bougent, elles évoluent. Une institution ou une société qui ne changerait pas se condamnerait à mort. L'école aujourd'hui, n'est plus celle d'hier. Que sera-t-elle demain ? Un établissement scolaire ne peut jamais dire : notre Règlement d'Ordre Intérieur est établi pour les dix ans à venir. On l'enferme dans un coffre-fort et on n'y touche plus. Ce serait stupide. Tout article de règlement doit pouvoir être soumis à discussion dans le respect des procédures établies. Il importe donc qu'il y ait des lieux et des moments (réunions formelles) prévus à cet effet.

6.8. Les règles doivent être hiérarchisées

Dans un état démocratique, les lois ne sont pas placées sur pied d'égalité. Certaines pèsent plus lourd que d'autres parce qu'elles édictent les droits et libertés fondamentales. Au sommet de l'édifice juridique, trône la Constitution, c'est-à-dire la Loi Fondamentale, à laquelle tous les autres codes (Code civil, Code pénal...) sont soumis.

Dans un établissement scolaire, toutes les règles en vigueur n'ont pas le même poids. Je pense qu'il est essentiel de différencier « **la charte d'école** » (texte court qui énonce les règles essentielles du vivre-ensemble telles qu'elles découlent du projet d'établissement ou de réseau) et le **règlement d'ordre intérieur** qui régit les détails de la vie quotidienne.

Je pense aussi qu'il importe de distinguer ce qui, dans le dispositif normatif, est négociable et ce qui ne l'est pas, ce sur quoi l'on peut transiger et ce sur quoi on ne transige pas.

C'est pareil en famille. Certaines règles ne sont pas négociables (les petits enfants n'ont pas à discuter l'heure du coucher), d'autres peuvent l'être (à partir d'un certain âge, l'enfant peut avoir son mot à dire sur l'organisation de son travail scolaire à domicile ou sur le choix de ses stages de vacances).

6.9. Les règles participatives sont préférables aux règles imposées d'autorité

Si l'on accepte l'idée que l'école est le lieu privilégié d'apprentissage des valeurs démocratiques et l'idée subséquente que cet apprentissage relève, non d'un enseignement théorique, mais de la pratique quotidienne du vivre-ensemble, on admettra qu'il est préférable que tous les acteurs concernés soient parties prenantes du processus d'élaboration de la loi du groupe. Les expériences-pilotes conduites dans des écoles fondamentales en Communauté française de Belgique sont encourageantes. Ainsi, dans certains établissements, dès la première année primaire, les élèves sont invités à établir le règlement de classe avec leur instituteur. La première heure de la semaine est consacrée à une « assemblée » au cours de laquelle les problèmes sont mis à plat, les décisions entérinées, les tâches réparties. Dans d'autres établissement, tous les acteurs de la vie de l'école participent à l'élaboration du règlement d'ordre intérieur, soit de manière directe, soit par délégation. Une forme de démocratie participative s'expérimente ainsi *in vivo*. Si l'enfant ou l'adolescent participe à l'élaboration de la règle et à son contrôle, son rapport à la loi change du tout au tout. **La loi n'est plus une imposition extérieure contre laquelle il faut se défendre, mais une affaire collective qu'il faut défendre.**

6.10. Toute règle doit être assortie de sanction en cas de transgression

Dans certains établissements ou dans certaines familles, les règles existent bel et bien, elles sont claires, pertinentes, justes, expliquées. Le problème est qu'en cas de transgression, il ne se passe rien. On ferme les yeux. On passe l'éponge. Le règle n'est que de pure forme. Elle perd toute efficacité. Car une infraction non sanctionnée crée un sentiment d'impunité qui fait le lit de toutes les violences[13]. Une règle n'est véritablement une règle qu'à condition que sa transgression entraîne effectivement une sanction. Une règle qui n'est pas assortie de sanction, n'est pas une règle. C'est une facétie.

13 Ibidem.

En résumé :

LES 10 CONDITIONS
DE LA RÈGLE ÉDUCATIVE

1. Il faut que la règle existe.
2. Il faut que la règle soit connue (éventuellement écrite).
3. Il faut que la règle soit claire, non ambiguë.
4. Il faut que la règle soit juste.
5. Il faut que la règle soit pertinente.
6. Il faut que la légitimité de la règle soit expliquée.
7. Il faut que la règle soit évolutive.
8. Il faut que les règles soient hiérarchisées.
9. Il faut que l'élaboration et le contrôle des règles soient l'affaire de tous.
10. Il faut que la règle soit assortie de sanction, en cas de transgression.

7. Les huit conditions de la sanction éducative

Ceci nous amène au problème de la sanction.

Quand faut-il sanctionner ? Pourquoi faut-il sanctionner ? Comment faut-il sanctionner ?

Ici encore, nous devrons opérer une distinction entre les bonnes et les mauvaises sanctions, les sanctions éducatives et les sanctions anti-éducatives.

Nous dirons, préalablement, qu'une attitude normative doit prendre en compte trois dissociations essentielles : l'être et le faire, l'acte et le vécu, le comportement et le travail. Voyons cela de plus près !

7.1. L'« être » n'est pas le « faire »

Mon être ne se réduit pas à ma conduite. Ma personne ne se limite pas à ma manière de me comporter. Si un jugement porte sur ma conduite (« quand tu agis comme ça, tu te comportes comme un idiot »), le blame ou la critique n'est pas agréable à entendre, mais je puis néanmoins l'accepter sans me sentir rejeté, humilié, amoindri, atteint dans ce que je suis. En revanche, si le jugement porte, non sur ce que je fais, mais sur ce que je suis («tu es un imbécile»), il est intolérable parce qu'il met à mal mon image de moi-même. Je me sens réifié, réduit à mon «défaut» ou à ma faute. En quelque sorte, je suis identifié à ma conduite. Je ne suis plus que mon acte négatif, l'objet du regard réprobateur de l'autre.

Il faut être très attentif à cette tendance naturelle à réduire l'être au comportement (tu as menti = tu es un menteur; tu as échoué = tu es un raté). Nous pensons souvent qu'un individu exprime tout son être dans chacune de ses conduites et que son comportement observable dans telle ou telle situation révèle sa personnalité. Ce faisant, nous l'immobilisons psychiquement. Nous le figeons sous une «étiquette» («imbécile», «raté», «incapable») et nous verrouillons du même coup toute perspective de changement. Nous l'amenons, selon une loi nommée par les psychologues: Effet Rosenthal ou Effet Pygmalion, à se couler dans le lit de notre jugement, à chroniciser son comportement négatif pour répondre à notre attente négative (puisqu'on me dit «incapable», je le serai et le serai toujours)[14].

---

14 Dans les années cinquante, deux psychologues américains, Rosenthal et Jacobson mirent en évidence l'incidence directe des attentes de l'instituteur sur les performances scolaires de l'élève. Au cours d'une expérience célèbre, ils ont réparti les enfants en deux groupes selon leur résultat à un test (bidon!) de quotient intellectuel. Les instituteurs ont été informés après coup de ces résultats et de cette répartition... ignorant qu'il s'agissait là de données parfaitement arbitraires. Rosenthal et Jacobson observent alors ceci. Les enfants du premier groupe (quotient intellectuel prétendûment élevé) dont on attend de bonnes cotes scolaires, les obtiennent effectivement dans leur grande majorité. Les enfants du second groupe (soi-disant moins doués), stigmatisés dés le départ par une attente négative (même informulée) finissent par occuper effectivement les dernières places. Ce phénomène (nommé depuis: «effet Pygmalion» ou «effet Rosenthal») montre qu'à l'instar de Galatée, la statue que Pygmalion voulait sculpter pour qu'elle devienne la femme de ses rêves, nous sommes littéralement façonnés par les attentes et espoirs, positifs ou négatifs, que les autres déposent en nous comme des placements bancaires. Les enfants dont on attendait la réussite, réussissent effectivement tandis que ceux dont on prévoyait un niveau moindre de performance, obtiennent, des résultats médiocres. La démonstration de cette mécanique interactive de conformité aux attentes fait apparaître l'im-

Il en va de même pour la sanction. Il n'est pas indifférent pour un enfant d'être puni pour un acte commis ou pour un attribut supposé de sa personne. Je puis accepter d'être blamé pour un acte, sans me sentir atteint dans mon intégrité, ma dignité, la représentation que j'ai de moi. Si, en revanche, je perçois la sanction comme un rejet de ma personne, je me sentirai atteint dans mon image de moi-même. Pour peu que cette image soit fragile, je me sentirai amoindri, bafoué, humilié. Or, on le sait, l'humiliation est une voie royale vers la violence.

7.2. Le «vécu» ne se réduit pas à l'acte

Lorsque nous sommes amenés à arbitrer une dispute entre deux enfants (ou deux adultes), quelle est notre attitude spontanée, notre impulsion naturelle? Endosser l'habit du juge d'instruction. Tenter de reconstituer les faits tels qu'ils se sont passés. Enquêter sur leur matérialité ou leur véracité (quand? par qui? comment? qui a commencé? ....). Opérant de cette manière, que faisons-nous? Nous portons notre attention sur les faits objectifs. Nous en oublions le «ressenti» des protagonistes. Nous instruisons sur des actes, plutôt que de nous mettre à l'écoute du vécu des acteurs. Or, notre propre expérience en témoigne, lorsque nous sommes englués dans une situation de conflit, qu'est-ce qui nous paraît le plus important? N'est-ce pas précisément la possibilité de nous faire entendre, le sentiment d'être entendu et compris au

---

pact des préjugés péjoratifs ou mélioratifs, donc des stéréotypes, sur le developpement de l'individu humain. Elle permet également de comprendre pourquoi les prophéties des voyantes et des diseuses de bonne avanture ont tendance à se réaliser. (Rosenthal R.A et Jacobson L. *Pygmalion à l'école*, Tournai, Casterman, 1971)

niveau de nos émotions? Je constate que, dans la relation éducative, la différence entre le «vécu» (le ressenti subjectif) et l'«acte» (le fait objectif) est souvent brouillée. Pourtant, elle me paraît essentielle. L'exemple qui suit va nous le faire comprendre.

En proie à une violente colère, Adrien lève la main pour frapper Florian qui, depuis un moment, lui cherche querelle. L'adulte intervient. Il peut le faire de deux manières.

Première version:

ADULTE – Que se passe-t-il ici?

ADRIEN – J'ai envie de lui taper dessus.

ADULTE – Tu n'as pas honte de vouloir frapper ton copain.

ADRIEN – Il me cherche. Je suis fâché contre lui.

ADULTE – Mais enfin! Tu n'as aucune raison de lui en vouloir à ce point

ou encore: Mais non, tu n'es pas fâché pour du vrai

ou encore: C'est pas bien de se mettre ainsi en colère.

Seconde version:

ADULTE – Adrien, je vois que tu es très fâché. Je sais que tu n'aimes pas beaucoup Florian. Je puis même comprendre qu' après ce qu'il t'a fait, tu aies envie de te venger... Mais je ne puis t'autoriser à le faire.

La première attitude est anti-éducative, la seconde est éducative. Pourquoi?

Pour deux raisons.

Parce que la première entretient la confusion entre le

vécu émotionnel et le comportement, alors que la seconde les dissocie clairement.

Parce que la première ne prend pas en compte le « vécu » d'Adrien, alors que la seconde entend et reconnaît le vécu... sans pour autant pemettre le passage à l'acte.

Dans le détail :

MESSAGES DE L'ADULTE	OPÉRATION EN ŒUVRE	
Première attitude :		
« Tu n'as pas honte de vouloir frapper ton copain ? »	**Culpabilisation du désir**	
« Tu n'as aucune raison de lui en vouloir »	**Non-reconnaissance du désir**	
Tu n'es pas fâché pour de vrai »	**Minimisation de l'émotion**	
« Ce n'est pas bien de se mettre en colère »	**Jugement de valeur sur l'émotion**	
Seconde attitude :		
« Je vois que tu es faché »	**Reconnaissance de l'émotion**	**<u>Écoute du vécu subjectif</u>**
« Je sais que tu ne l'aimes pas »	**Prise en compte du sentiment**	
« Je puis comprendre que tu aies envie de cogner »	**Compréhension du désir**	
« Je ne puis te permettre de le faire »	**<u>Interdit sur l'acte</u>**	

En résumé, toute attitude éducative doit prendre en compte ces quatre préceptes simples :

1. Il n'y a pas de désir coupable
2. Il n'y a pas d'émotion interdite
3. Il n'y a pas de sentiment tabou

Parce que désirs, émotions et sentiments s'imposent à nous, sans solliciter notre consentement !

4. ... mais il y a des actes interdits.

Nous ne sommes pas responsables de nos désirs, de nos émotions et de nos sentiments, mais nous sommes responsables de nos actes !

La sanction anti-éducative est infantilisante, vexatoire, humiliante, irrespectueuse de la personne. Mais si elle se reconnaît par les effets subjectifs qu'elle génère (sentiment d'infantilisation, d'humiliation, de vexation), elle se caractérise aussi par deux éléments intrinsèques : sa modalité d'expression et sa nature.

7.3. La sanction n'est pas l'expression de la colère

« Voilà deux heures que tu me casses les pieds, tu seras privé de voyage scolaire. »

« Tu m'emm..., plus de dessert pendant trois jours... »

Combien de fois ne nous arrive-t-il pas d'envoyer une volée de bois vert à nos enfants et d'édicter une sanction sous le coup d'une réaction de colère. Que se passe-t-il ? La sanction est improvisée, non-réfléchie, énoncée « à chaud ». C'est une réaction émotionnelle virulente qui s'extériorise de manière volcanique parce qu'elle a été trop longtemps retenue ou bien parce qu'on est à bout. Or, si la sanction est énoncée simultanément à l'expression de la colère, l'adulte court au moins **quatre risques**. Souvent, il se rend compte après coup que :

1. La sanction est **disproportionnée** à l'aune de l'acte répréhensible
   Conséquence ? Elle est perçue par l'enfant comme injuste et génère sa révolte. Elle peut aussi obliger l'adulte à opérer un repli stratégique peu glorieux.

2. La sanction est **mal choisie**. Elle ne produit pas un inconfort suffisant pour celui à qui elle s'applique. Elle vise à côté de la cible et rate le coche. (Priver un enfant de chocolat n'est pas une sanction s'il n'aime pas le chocolat.)

3. La sanction **génère plus d'inconfort chez ceux à qui elle ne s'applique pas** (l'ensemble de la classe ou toute la famille) qu'au fautif lui-même.

4. La sanction est **inapplicable** dans les faits, donc assortie d'une perte irrémédiable de crédibilité.

L'adulte, comme l'enfant, a parfaitement le droit d'exprimer ses émotions (sa colère, son agacement). Mais, dans une relation éducative comme dans l'exercice de la justice, il doit apprendre à **délier émotion et édiction de sanction**. L'émotion s'expurge « à chaud » et en direct. En revanche, il y a tout intérêt à ce que la sanction se décide « à froid » et en différé.

7.4. Le comportement doit être dissocié du travail scolaire

« Tu as renversé le pot de confitures, tu recommences ton devoir ! »

« Tu as raté ton interro, tu balaies la cour de récréation. »

Quel est le problème dans cette façon d'agir ou de réagir ?

Le problème réside dans le fait que la sanction est antilogique, c'est-à-dire placée sur un « terrain » différent de celui de la transgression ou du comportement blâmable. Une carence pédagogique est punie d'un arrêt disciplinaire. Une faute disciplinaire est sanctionnée sur le plan pédagogique. Schématiquement :

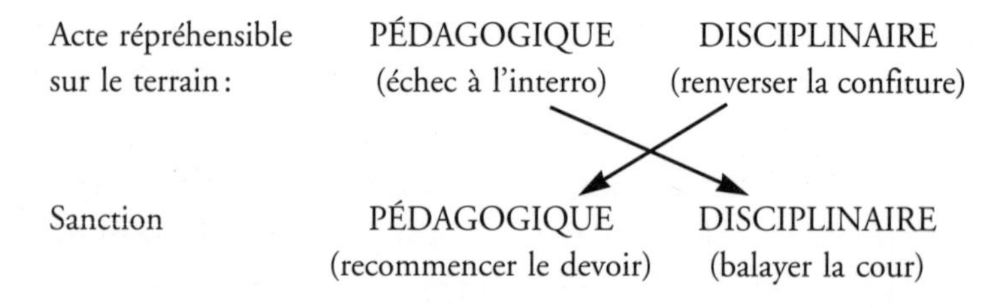

On reconnaîtra dans cet antilogisme caricatural la signature du « chiasme » c'est-à-dire cette figure de style qui doit son nom à la lettre « chi » grec (x).

7.5. Qu'est-ce qu'une sanction éducative ?

Sur foi de l'ensemble des éléments examinés, nous pouvons profiler, positivement cette fois, ce qu'est une « bonne sanction », une sanction éducative.

Huit conditions la déterminent :

1. La sanction doit être **précédée des sommations d'usage.** Avant d'être sanctionné, chacun a droit à un avertissement.

2. La sanction **s'applique à l'acte, non à la personne.** Elle cible le « faire » plutôt que l'« être », le comportement plutôt que la personne.

3. **L'édiction d'une sanction n'exclut nullement l'écoute acceptante du « ressenti ».** La sanction indique la limite à ne pas franchir. Elle n'interdit pas d'essayer de comprendre la nature du problème qui sous-tend la transgression.

4. La sanction est **juste.** La rigueur des principes n'exclut pas la souplesse de leur application, c'est-à-dire la prise en compte des circonstances atténuantes ou aggravantes, des situations particulières (récidive ou primo-transgression), du degré de responsabilité, etc. Le droit commun et la justice le font, pourquoi la vie commune à la maison ou à l'école s'y soustrairait-elle ?

5. La sanction est **responsabilisante** et si possible réparatrice. Elle permet à l'enfant de prendre conscience du dommage causé et d'assumer la responsabilité du préjudice. La sanction se mue en réparation. « Tu as cassé cette chaise, tu la répares. » « Tu as mis du désordre, tu ranges. »

6. La sanction est **réfléchie,** différée dans le temps, résultat d'un jugement rationnel plutôt que d'une impulsion à chaud. Elle est un acte de justice plutôt qu'un coup de sang vengeur.

7. La sanction est suffisamment **inconfortable**. Priver de dessert un enfant qui n'est pas porté sur les sucreries n'a pas beaucoup de sens. En revanche, le priver de l'heure de « Game Boy » à laquelle il tient, l'oblige à réfléchir deux fois avant de prendre le risque d'enfreindre la règle. À l'école, prononcer une exclusion de trois jours à l'encontre d'un élève démotivé, en situation de décrochage scolaire, est inepte. Le mettre au service du personnel d'entretien pendant trois jours est beaucoup plus adéquat.

8. La sanction est **isomorphe au comportement blâmable** c'est-à-dire congruente à sa nature, non chiasmatique, placée sur le même « terrain » que la faute. Concrètement : à négligence **pédagogique**, sanction pédagogique (tu n'as pas remis ton travail dans les délais fixés et sans motif valable, ce retard sera mentionné dans ton évaluation finale). À transgression **comportementale**, sanction disciplinaire (tu as fumé dans l'atelier de menuiserie malgré l'interdit formel, je ne puis prendre le risque de t'emmener en voyage scolaire).
Schématiquement :

Acte répréhensible sur le terrain :	PÉDAGOGIQUE (non respect du délai de remise des travaux)	DISCIPLINAIRE (trangression de l'interdit de fumer)
	↓	↓
Sanction	PÉDAGOGIQUE (notation défavorable)	DISCIPLINAIRE (exclusion du voyage scolaire)

Notons qu'en France, la dernière circulaire du ministère de l'Éducation nationale (circulaire de juillet 2000) impose cette distinction. Elle enjoint explicitement aux maîtres et aux chefs d'établissement de distinguer soigneusement les punitions relatives au comportement de l'évaluation du travail personnel. Il n'est plus légalement permis aujourd'hui de baisser la cote d'un devoir en raison du comportement d'un élève ou d'une absence injustifiée.

En résumé :

QUESTIONS RELATIVES À LA SANCTION

Quand ? A-t-elle été précédée d'un ou de plusieurs avertissement(s) ?
A-t-elle été édictée « à froid », après réflexion ?

Laquelle ? Est-elle proportionée au comportement blâmable ?
Crée-t-elle un inconfort réel chez l'enfant ?
Est-elle applicable ?
responsabilisante ?
placée sur le même terrain que le comportement blâmable ?

À ce stade de notre réflexion, nous sommes en droit de conclure que la relation éducative doit impérativement veiller à se tenir à distance respectable de ses deux dérives naturelles, la séduction et la persécution.

SÉDUCTION ◄--------► ÉDUCATION ◄--------► PERSÉCUTION

Faute de quoi, elle flirte avec les mécanismes producteurs de violence. Je me propose, pour conclure les trois chapitres précédents, de visualiser l'articulation entre réactions d'adulte et engendrement violent, par un schéma d'ensemble que j'ai pris l'habitude de nommer: le Cercle Polémos. Il pointe la responsabilité de nos propres attitudes, dans la mise en charge du cycle du conflit et de la révolte.

LE CERCLE POLEMOS

Comment entrer dans l'engrenage violent
et comment en sortir?

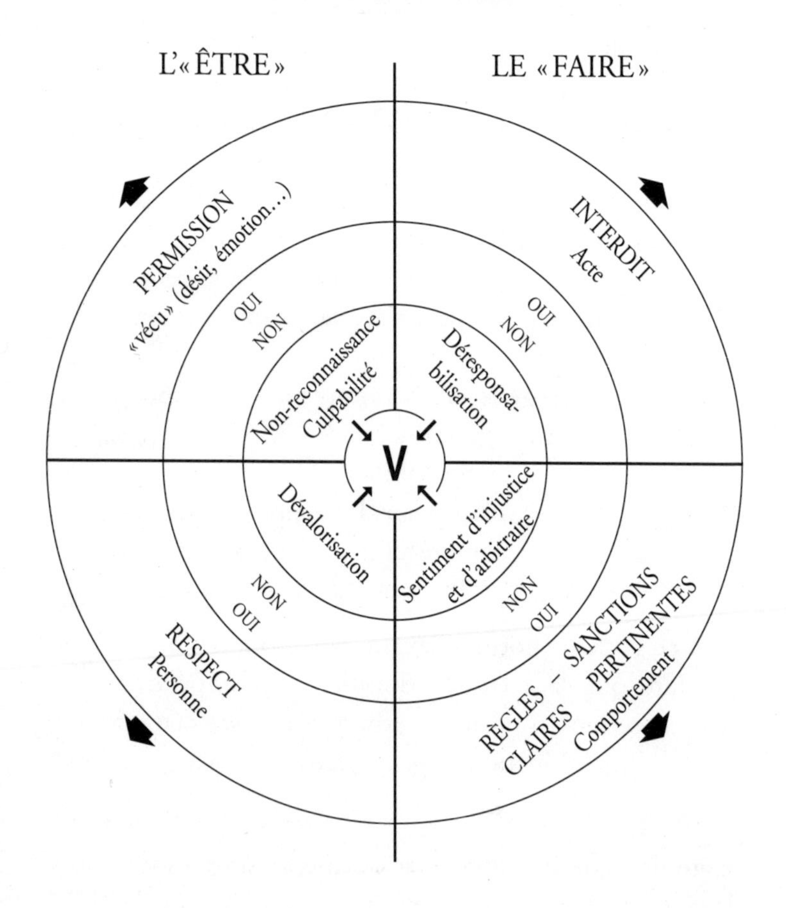

Commentaire du schéma de la page précédente

Les cercles

Le cercle extérieur pointe les quatre attitudes éducatives fondamentales.

Le cercle médian indique les effets psychologiques pervers induits par le non-respect de ces attitudes. Chacun représente une porte grande ouverte ouvrant accès au...

Petit cercle central (V) qui visualise la violence (actualisée ou non sous forme de comportement).

Les quartiers

Quart inférieur droit: Toute éducation implique des règles claires (expliquées) et des sanctions pertinentes (justes et adaptées), les unes et les autres portant sur des comportements, non sur des personnes. Sans règles clairement établies, on sombre dans l'anarchie et la violence. Avec des règles inadaptées ou injustes, on crée un sentiment d'injustice qui fait le lit de toutes les violences.

Quart supérieur droit: il importe que les interdits frappent des actes préjudiciables pour autrui ou pour soi-même, faute de quoi « tout devient permis » et personne n'est responsable de ce qu'il fait. Comme l'ont clairement démontrées les expériences de Stanley Milgram sur la soumission à l'autorité[15]*, la déresponsabilisation (quoi qu'il advienne, je te*

---

15 La célèbre expérience de Stanley Milgram, professeur à l'université de Yale (qui inspira le film d'Henry Verneuil « I comme Icare ») fut une expérience marquante.
Ce chercheur a prouvé expérimentalement que des individus « normaux », choisis au hasard, étaient parfaitement capables d'infliger préjudice à autrui (en l'occurence: des chocs électriques douloureux et éventuellement mortels) lorsqu'ils sont placés dans une situation telle qu'ils doivent obéir à une autorité morale perçue comme souveraine (en l'occurrence: une autorité scientifique) et se voient dédouanés à l'avance de toute responsabilité quant aux conséquences possibles de leur geste. Les conclusions de Milgram ont été confirmées par des travaux ultérieurs réalisés

dédouane à l'avance des conséquences de ton acte) génère, elle aussi, une violence et surtout une violence commise en toute bonne conscience (« je n'ai fait qu'obéir aux ordres ! »).

Quart supérieur gauche : l'interdit sur l'acte n'exclut pas la reconnaissance du vécu, c'est-à-dire la reconnaissance du désir (même négatif), de l'émotion (même négative), du sentiment (même négatif). Si je ne me sens pas reconnu dans ce que je vis, je serai tenté de le faire reconnaître par des voies violentes. L'expérience de la médiation et de la gestion assertive des conflits montre clairement que la possibilité accordée à chaque protagoniste de pouvoir « vider son sac », d'exprimer par des mots ce qu'il a sur le cœur, de se sentir entendu et respecté dans son émotion, suffit souvent à apaiser la tension et à créer les conditions d'un dénouement pacifique du conflit.

Quart inférieur gauche : si l'imposition de la règle ou de la sanction ne me respecte pas en tant que personne, mon image de moi-même est atteinte. Je me sens déprécié, dévalorisé, humilié. Je ne pourrai restaurer le sentiment de ma valeur que par la révolte et la violence.

---

dans d'autres pays, notamment en Allemagne et au Japon. Elles éclairent d'un jour nouveau le phénomène de la persécution nazie où les pires atrocités furent commises « par obéissance » par des fonctionnaires modèles et de « bons pères de famille ». Bien avant Milgram, Lewin démontra que la taux d'agressivité dans les groupes d'enfants était fonction du style de commandement adopté (les styles « laisser-faire » et « autoritaire » provoquant des paroxysmes plus fréquents que le style « démocratique »). Mayo démontra que, lorsqu'au sein d'une organisation, la structure formelle (organigramme) néglige les besoins fondamentaux des individus, c'est dans des structures informelles (bandes, clans, associations occultes) que ceux-ci chercheront à obtenir les satisfactions refusées.

En bref:
– *Dévalorisation (atteinte à l'image de soi);*
– *Non-reconnaissance du vécu;*
– *Déresponsabilisation quant aux actes;*
– *Frustration liée au sentiment d'injustice et d'arbitraire...*

... sont les quatre portes d'accès au Cercle Polémos[16].

Si certains actes exigent sanction et sanction immédiate, la sanction n'est jamais une conclusion de l'action. Elle n'interdit pas d'essayer de comprendre la transgression dans ses mobiles et sa signification (comprendre ne signifiant ni excuser, ni tolérer). Sanctionner la transgression est une chose, en comprendre la motivation en est une autre.

Sanctionner est un acte de pouvoir.

Sanctionner et simultanément tenter de comprendre est un acte de puissance.

16 Patrick Traube, *Violences: côté face et profil*, Mons, CDRS, 1991.

8. Pouvoir et puissance

Pouvoir, Puissance!

Ces deux termes sont communément confondus et utilisés l'un pour l'autre. L'usage courant les emploie comme s'ils étaient synonymes.

Ils ne le sont pas.

Le POUVOIR s'accorde avec l'auxiliaire « avoir ». « Dans ce pays, j'ai le pouvoir » ou « Dans mon entreprise, monsieur Dupont a beaucoup de pouvoir ». Comme la richesse ou le prestige, il s'agit de quelque chose qu'on possède ou qu'on ne possède pas, qu'on détient ou qu'on ne détient pas. Par ailleurs, le pouvoir s'exerce toujours SUR quelque chose (un territoire, un objet) ou sur quelqu'un (des subordonnés, des collaborateurs). C'est un attribut extérieur fondé sur l'argent, le statut hiérarchique, la fonction sociale ou la position familiale. À ce titre, il se prend (par la ruse ou la persuasion), se conquiert (par la force) ou se transmet (par légation ou délégation). Il s'impose purement et simplement. En latin, il se dit « potestas ». Pouvoir de commander, pouvoir de se faire obéir. Il n'est de pouvoir qu'humain, écrit André Comte-Sponville, « c'est pourquoi le pouvoir est tellement agaçant, quand c'est celui des autres, et tellement délicieux, quand c'est le sien. »[17]

La PUISSANCE s'accorde avec l'auxiliaire « être ». On n'a pas la puissance. On EST puissant ou on ne l'est pas. Il s'agit d'un attribut dont le point d'appui se situe, non à l'extérieur (dans un statut hiérarchique, un grade, une fonction sociale, un compte en banque ...), mais au centre de soi-même, dans sa personnalité profonde. La puissance se conquiert aussi, mais jamais sur les autres. Elle se conquiert sur soi, sur ses propres « démons », ses propres fantômes. Elle ne s'impose pas à l'autre. Elle se pose. Comme le soleil, elle agit par simple présence. En latin, on dirait « potentia », c'est-à-dire « possibilité », possibilité d'être, d'agir et de se déployer.

En bref, je dirai que le pouvoir est une **production sociale**, alors que la puissance est une **force psychique** ; que le pouvoir se prend sur les autres alors que la puissance se conquiert sur soi, que le pouvoir est un acquis à durée limitée ou illimitée alors que la puissance est une quête permanente. Précisons toutefois qu'il n'y a pas incompatibilité de principe entre ces deux termes. Certains individus peuvent être à la fois puissants et détenteurs d'un pouvoir important. Mais il n'y a pas non plus adéquation obligée entre eux. Dans la vie publique, comme dans la sphère privée, les « assoiffés » de pouvoir, les despotes, les tyrans, sont généralement des gens dénués de puissance. Le pouvoir (ou l'illusion du pouvoir) en tient lieu. Il vient à point nommé pour colmater un vide intérieur, masquer une fragilité, voire un néant inquiétant.

---

17 André Comte-Sponville, *Dictionnaire philosophique*, Paris, PUF 2001. p 455.

Pendant de nombreuses années, j'ai sillonné le pays du nord au sud, d'est en ouest. À la faveur de ce nomadisme professionnel, j'ai visité des centaines d'écoles et travaillé avec de nombreuses équipes éducatives. Parmi ces écoles, certaines connaissaient une situation de violence endémique, chronique, extrême, justifiant des mesures gouvernementales particulières (des « discriminations positives »). Dans ces établissements gangrénés par la démotivation, la déréliction, la morosité, l'ennui, la violence « hard », la perte de sens, j'ai rencontré néanmoins des professeurs respectés. Cet apparent paradoxe m'a interpellé. Je me suis demandé : pourquoi ceux-là et pas les autres ? Qu'avaient-ils de particulier, ces professeurs ? Jouissaient-ils d'aptitudes qui manquaient aux autres ? Imposaient-ils le respect par la largeur de leurs épaules, la saillance de leur musculature, leur brevet de centure noire de judo ou de karaté ? Non ! Ils imposaient le respect par deux choses. D'une part, ils étaient habités d'un profond respect d'eux-mêmes et des élèves. D'autre part, ils étaient habités... par leur matière. Ils portaient en eux l'amour de leur discipline et la passion de la transmettre. Les jeunes y étaient sensibles. Ils se sentaient respectés sans complaisance démagogique. Or, le respect est une maladie contagieuse. Il se transmet par simple contact. Grâce à cette relation, les « apprenants » apprenaient d'abord l'amour de leur futur métier et étaient en mesure de reconstruire une image d'eux mêmes plus valorisante. Ces professeurs ne faisaient pas de miracles. Ils n'étaient pas armés d'un pouvoir hiérarchique particulier. Simplement, ils étaient psychiquement puissants.

Cette distinction entre pouvoir et puissance n'est pas une distinction purement théorique. Elle a une incidence directe en éducation. Si les « grandes personnes » ont tendance à les confondre, soyons sûrs d'une chose : les enfants, les adolescents, eux, ne s'y trompent guère. Ils perçoivent très bien, et très vite, la différence qui les oppose. D'ordinaire, ils respectent la puissance. Ils n'ont que mépris et dédain pour le pouvoir brut, c'est-à-dire l'autorité qui s'étaye sur une position ou un statut social mais qui manque d'assise interne. Ils le voient pour ce qu'il est : une autorité abusive, une extorsion, un détournement. Ils y répondent par la révolte, l'ironie, la dérision, le cynisme ou... l'insolence.

9. Insolence, arrogance, impuissance...

Insolent ! Qualificatif maintes fois entendu dans les conseils de classe, comme dans les réunions de famille « Ce garçon est insolent », « cette gamine est d'une insolence intolérable ! ». Qualité attribuée parfois aussi à certains artistes ou intellectuels par la presse ou la critique. « Le romancier Machin a trempé sa plume insolente dans le clair-obscur de notre société », « avec son insolence coutumière, le sculpteur Chose nous dévoile sa vision désenchantée du monde »... Notons que dans le premier cas (chez les enfants), l'insolence est connotée négativement et renvoie à l'idée d'une subversion insupportable à l'encontre d'un Ordre Établi (familial ou scolaire), alors que, dans le second (chez les adultes), l'insolence apparaît plutôt comme une vertu, l'indice d'une audace irrévérencieuse qui fait la nique à l'ordre social.

« Insolence », donc, du latin « insolentia » qui signifie... « inexpérience ».

Qu'est-ce au juste qu'un comportement insolent ?

C'est un mot, un geste, un rire, une attitude, une position, une œuvre, un discours, qui comporte un défi à l'endroit d'un « ordre », d'un pouvoir, d'une autorité ou de celui qui le représente (particulier ou institution). Mais une attitude provocatrice n'est jamais gratuite. Le défi vise à produire un effet mais comporte aussi une attente, l'attente d'une réponse. Et s'il y a attente de réponse, c'est qu'il y a question mais question non formulée, implicite. Quel est donc la question de l'insolent ? C'est : jusqu'où le détenteur du pouvoir est-il réellement puissant ? Où puise-t-il son autorité ? À quelle source s'alimente-t-elle ? Et puis, comment va-t-il la justifier, en appliquer les prérogatives, en sanctionner la transgression ?

L'insolence est donc toujours le corrélat du pouvoir. S'il n'y avait pas de pouvoir, l'insolence n'aurait pas d'objet. L'insolence est la face cachée de l'Ordre, son ombre, son « verso ». Elle est toujours une réponse à l'arrogance du pouvoir car le pouvoir se prend facilement à son propre jeu. Mais, selon que l'arrogance du pouvoir est réelle ou non, effective ou supposée, il y a, selon moi, deux types d'insolence pour lui répondre : l'« insolence réactionnelle » et l'« insolence consubstantielle ».

La première, l'insolence réactionnelle, est une réponse saine de l'individu ou du groupe à l'arrogance effective d'un pouvoir. Car si le pouvoir ne corrompt pas toujours, il rend son détenteur arrogant (sûr de soi et de son bon droit) et, comme chacun sait, la raison du plus fort est toujours la meilleure. L'insolence est alors un cri de révolte ou un geste de rébellion, une tentative de se réapproprier quelque chose qui aurait été indûment détourné. En quelque sorte, par son insolence, le « petit » rend au « grand » la monnaie de sa pièce.

Mais, direz-vous, certains enfants sont insolents même s'il ont en face d'eux un pouvoir non arrogant, un pouvoir discret, juste, pondéré. Certains adultes ou groupes d'adultes font aussi de l'insolence un style d'existence, voire une esthétique de vie. C'est vrai et cela signifie ceci : indépendamment de ses conditions d'exercice, il y a toujours une arrogance fantasmée du pouvoir dans le chef de celui qui le subit. Comme l'ont très bien montré Freud et, dans sa foulée, le philosophe-psychanalyste Cornélius Castoriadis[18], toute socialisation implique un refoulement des pulsions, donc une violence irréductible à l'encontre de l'individu. Or, le psychisme humain appelle la socialisation (personne ne peut vivre seul, sans lien social, sans ordre social) et simultanément y résiste. C'est pourquoi le rapport de pouvoir est toujours foncièrement ambigu, susceptible d'être mis en cause, défié, mis à plat, contesté dans sa légitimité. C'est ce que je nomme « insolence consubstantielle ».

C'est dans cette ambiguïté fondamentale du leadership que réside l'extrême danger pour celui qui l'exerce. Ce risque inhérent à l'exercice du pouvoir a été maintes fois relevé par les anthropologues et décrit par les romanciers. Dans tout groupe humain agit une pulsion collective qui pousse les masses à élever une idole au pinacle, puis, dans un second temps, à l'abattre, à la mettre au pilori, à tuer (symboliquement) le Roi. C'est pourquoi le Roi est toujours nu ! Le chef peut être craint. Il peut même être aimé.

---

18 « Un minimum incompressible de refoulement des pulsions est indispensable à toute socialisation ... Mais il y a hostilité indépassable du noyau psychique au processus de socialisation... La "nature" de l'âme humaine exclut à jamais la réalisation d'une "société parfaite" et imposera toujours aux humains un clivage psychique. » Cornélius Castoriadis, *La Montée de l'Insignifiance* (**Les carrefours du labyrinthe IV**), Seuil, Paris, 1996, p. 151.

Mais il est simultanément haï. Il devient alors la victime-émissaire désignée à la vindicte populaire. Tout se passe comme si les sociétés humaines érigeaient une statue de Commandeur pour mieux la déboulonner de son socle et en piétiner férocement les morceaux épars. Cette ambiguité du pouvoir s'explique sans doute par le paradoxe même de la position de leader. Le chef représente à la fois la Loi, puisqu'il l'édicte ou, à tout le moins, en est le garant attitré. Mais, en même temps, il est hors-la-loi puisqu'il tire précisément sa légitimité de son extériorité, donc de son altérité, par rapport au groupe. Il est à la fois dans le groupe (émanation de celui-ci) et hors du groupe (*primus inter pares*: premier parmi les siens).

Comme l'ombre reproduit toujours l'objet, même si elle en déforme les contours, on ne s'étonnera pas de trouver la même ambiguïté sur le revers du pouvoir, celui de l'insolence. Par mon insolence, j'affirme mon identité en opposant ma différence. D'une certaine manière, je fais vœu de puissance. « Je ne te crains pas puisque je te défie. » Mais, en même temps, je reconnais implicitement la réalité de ton pouvoir et de ton altérité. C'est donc, simultanément et paradoxalement, un vœux de puissance et ... un aveu d'impuissance. L'ambiguïté de l'insolence est l'expression inversée de l'ambiguïté de notre rapport au pouvoir et à celui qui l'exerce.

10. Dépendance, autonomie, interdépendance

Nous l'avons vu, l'éducation est ce lieu fascinant où se rejoignent en une commune étreinte Amour et Loi. Pas facile de nouer ces deux bouts en une connexion plus ou moins heureuse ! C'est pour cette raison que la relation éducative ne va pas de soi, qu'elle réclame une vigilance de tous les instants, qu'elle doit veiller notamment à se préserver à l'encontre de ses deux dérives naturelles, la séduction (ou prime la loi du désir souverain) et la persécution (ou la loi est détournée au service du désir de pouvoir). En éducation, la Loi (« nomos ») n'est pas un but. Elle est un moyen en vue d'une fin : créer les conditions qui permettront à l'enfant de devenir le plus automone possible (« autos-nomos »). Quelques mots donc sur ce processus subtil qui, au départ d'une position initiale de dépendance absolue, celle du bébé à sa mère, permet à la personne de devenir progressivement fondement et gardien de sa propre loi.

Posons d'abord que l'autonomie n'est pas un état mais un processus. Elle n'est pas un fait acquis (qui peut déclarer sans rire : « ça y est, à présent, je suis autonome » ?), mais une quête jamais aboutie, parfois prise à revers et sans cesse relancée. En conséquence, l'évolution de la personne vers l'autonomie ne s'effectue pas de manière linéaire. Ce n'est pas une progression continue comme le passage du jour à la nuit. C'est une avancée qui ressemble aux marches d'un escalier. Elle se réalise par paliers, par sauts, donc par « crises ». Les psychologues pensent y discerner quatre moments. Je dis bien « moments » plutôt que « stades » car ce terme évoquerait précisément une évolution linéaire divisée en tranches strictement délimitées. En réalité, il s'agit d'étapes qui se chevauchent et dont certaines peuvent ne jamais s'actualiser. Ces quatre « moments » sont : la dépendance, la contre-dépendance, l'indépendance et l'interdépendance.

10.1. La dépendance

Sybille est mariée et a deux enfants. Elle consulte à cause de certaines difficultés conjugales dont elle ne vient pas à bout. Pendant vingt ans, elle s'est tue mais aujourd'hui la coupe est pleine. Sybille s'interroge sur la place qu'elle occupe dans son couple et sur ce qu'elle représente pour cet homme, son époux, qui, tous les soirs (week-end compris), téléphone à ses parents pour leur souhaiter la bonne nuit et qui, en disant « chez moi », désigne la maison... de ses parents. « J'ai toujours l'impression, me confie Sybille que la maison de Jean-Claude, c'est celle de ses parents, celle de son enfance ». Jean-Claude a 45 ans.

Guy, 56 ans, est ingénieur agronome. Il est marié et a trois enfants. À l'âge de 26 ans, il rencontre Sabrina qui deviendra son épouse. À cette époque Sabrina a une liaison avec Vincent. Guy se déclare. Sabrina l'informe de sa liaison avec un autre homme, mais aussi de son intention d'y mettre un terme. Quelques mois plus tard, Sabrina a quitté Vincent. Débute l'histoire d'amour avec Guy. Ils se fiancent et se marient. Guy est le plus heureux des hommes. Mais trois mois après les noces, Guy découvre une lettre de Vincent dans un coffret de son épouse. Cette lettre est datée. Sa lecture est sans équivoque. Guy apprend qu'entre le moment où il a déclaré sa flamme à Sabrina et le jour de leur premier rapport sexuel, celle-ci a fait l'amour avec Vincent. Il provoque une scène violente. Il accuse Sabrina de l'avoir trompé. Sabrina lui explique qu'à cette date, elle n'avait pris aucun engagement vis-à-vis de lui mais qu'à partir du moment où elle l'a choisi, elle a rompu définitivement avec Vincent et ne l'a plus revu. Rien n'y fera. Pendant trente ans, lors de chaque conflit émaillant la vie du couple, Guy rappellera à Sabrina ce qu'il estime être une infidélité, une trahison. Il n'accepte pas que son épouse ne fut plus vierge lors de leurs premiers ébats sexuels. À l'évidence, Guy est prisonnier du mythe romantique de la « femme pure » qui s'offre vierge à son mari le soir des noces. À 56 ans, cet homme intelligent, occupant un poste important dans la société qui l'emploie, est un adulte inapte à tolérer que son épouse ait « appartenu »(!) à un autre homme avant lui, c'est-à-dire qu'elle ne soit pas son objet de possession exclusif.

Par delà leurs histoires singulières, Jean-Claude et Guy ont un point en commun : une partie d'eux-mêmes demeure prisonnière de la dépendance, fixée à l'enfance (en latin : in-fans = incapable de faire). Le « moment de la DÉPENDANCE » caractérise l'état du petit d'homme inapte à subvenir par lui-même à ses besoins fondamentaux et donc totalement à la merci du bon-vouloir de ses parents.

Son équation est –/+. Moi (enfant) je suis incapable/ toi (adulte) tu es tout-puissant. Pour l'officier de l'état civil, l'enfance commence à la naissance et s'achève à la puberté. Pour le psychologue, l'enfance commence dès la vie fœtale et peut se prolonger indéfiniment. Comme Jean-Claude et Guy, certains adultes restent dépendants toute leur vie. Ils demeurent immatures, fixés à des illusions leurrantes ou à des mythes fantasques, ne pouvant affirmer leur identité propre qu'à la condition de posséder l'autre, de se l'approprier ou de le contrôler. Ils ne sont jamais sortis de l'enfance.

10.2. La contre-dépendance

Yvan arbore avec ostentation sa chemise à fleurs. Il porte des tatouages sur les deux avant-bras et sur l'épaule gauche. L'un de ceux-ci représente une nymphe dénudée, dans une pause alanguie. Ses conversations favorites : les « bonnes femmes », ses conquêtes, les belles voitures, les salauds de bourgeois et de flics. Sa devise : ni Dieu, ni maître (il ne fait pas mystère de ses sympathies pour l'anarchisme). Sa fierté : aucune femme n'est parvenue à lui passer la corde au coup ou l'anneau au doigt. Le problème ? Yvan a 55 ans. Son évolution psychique s'est arrêtée à 15 ans. Depuis quarante ans, il n'a pas bougé d'un pouce. Il est demeuré un vieil adolescent, un « adulescent ».

Le « moment de CONTRE-DÉPENDANCE » est l'opposé diamétral de la phase précédente. C'est le règne de l'opposition, de la révolte, de la rébellion, du contre-pied systématique. Son équation est +/-. Moi, je suis quelqu'un/ Toi tu n'es que de la m.... On l'a vu, c'est un passage obligé dont l'adolescence est l'acmé. Puis ça passe un peu comme une maladie infectieuse. Ce passage a été utile puisqu'il a dopé le système immunitaire et armé l'individu à l'endroit des agressions de la vie. Mais ce passage est un sas de transition qui doit déboucher sur un nouvel équilibre. Ce n'est pas toujours le cas. Certains adultes restent révoltés toute leur vie. Ils établissent leur bivouac sur le terrain de l'opposition systématique et n'en décollent pas. Ils ne distinguent plus très bien l'endroit et l'envers des choses. Ils se contentent d'être envers et contre tout. S'ils n'ont pas assez d'ennemis, ils s'en fabriquent. Ils en veulent à la planète entière. En version hard, ils prennent plaisir à emm... leur monde ou, comme Don Quichotte, à partir en guerre contre les moulins à vent. En version soft, leur jouissance consiste à choquer leur entourage par leurs propos abrupts ou leurs comportements provocateurs. Ils gênent, savent qu'ils gênent et s'en régalent. Ils ne sont jamais sortis de l'adolescence.

10.3. L'indépendance

André a 52 ans. Il est divorcé et a deux enfants. Son couple a tenu trois ans, le temps de faire des enfants. Depuis, il a quelques liaisons passagères (il faut bien que le corps exulte!) et l'un ou l'autre copains (pas d'amis, précise-t-il!) tenus à distance respectable. Il vit seul et en autarcie. Il cultive son potager, élève sa basse-cour et entretient ses réserves comme si l'hiver nucléaire était imminent. Il ne veut dépendre de personne. Il vit pour lui-même et accepte sans état d'âme que les autres fassent de même. Il ne demande rien et n'attend rien. Il organise sa vie en fonction de ses envies, de ses humeurs, de ses intérêts. Ses voisins le décrivent comme un homme affable, poli, sympathique, une sorte d'ermite des temps modernes. Il n'en veut à personne, puisqu'il n'attend rien de personne.

Dans la vie de l'individu, comme dans celle du couple, le « moment de l'INDÉPENDANCE » est le moment de la séparation, de la prise de distance, du moi-tout-seul (je n'ai besoin de personne), de l'exacerbation du narcissisme. C'est aussi un passage important qui permet à l'individu de couper l'ombilic psychique et, comme l'oiseau, de prendre son envol. Mais c'est aussi un moment périlleux. Il peut inaugurer un élan libérateur, comme il peut aussi s'échouer sur les plages fangeuses de la régression ou de la crispation sur le statu quo. Trois dénouements sont donc théoriquement possibles à cette étape de la vie :

- le rejet haineux de l'autre (retour à la « case 2 », celle de la contre-dépendance, équation +/- : je suis quelqu'un – tu n'est rien – vas te faire voir) ;
- le repli dans l'indifférence et la dépression (équation : –/– : je ne suis rien/ tu n'es rien, nous n'avons rien à faire ensemble) ;
- ou ... l'accès au quatrième « moment », c'est-à-dire à l'inter-dépendance.

10.4. L'inter-dépendance

Le « moment de l'INTERDÉPENDANCE » (ou de l'AUTONOMIE) est l'entrée dans la relation intersubjective au sens plein du terme. L'indépendance (« je n'ai besoin de personne » ou « je m'en sortirai seul » qui sont souvent des formes inversées de la contre-dépendance) se mue en reconnaissance du besoin de l'autre, en sollicitude à l'égard du lien, en préséance de l'« inter » : tu me manques, j'ai besoin de toi. Son équation est : +/+, soit : je suis quelqu'un de bien, mais je me sais manquant/ tu es quelqu'un de bien et tu te sais manquant, ensemble nous allons pouvoir nous enrichir mutuellement de nos différences.

L'autonomie, c'est la capacité de poser un regard critique sur les normes extérieures imposées et de vivre en cohérence avec mes idéaux et mes valeurs. C'est un assentiment à ce que je perçois comme juste et légitime. C'est user de ma liberté pour constituer ma charpente interne, mon squelette mental. Ce n'est ni l'anarchie (refus de toute règle), ni l'amoralisme (rejet de tout précepte éthique), ni le pessimisme (tout est fichu) parce que liberté rime avec responsabilité. Plus je suis libre dans ma tête et dans mon cœur, plus je suis responsable de moi, de l'autre, des autres, du monde.

En résumé :

Attitude-type de dépendance : je déjeune à 13h00, puisque tout le monde déjeune à 13h00 et que, dans ma famille, on a toujours fait comme ça.

Attitude-type de contre-dépendance : tout le monde mange à 13h00. Et bien, moi, je mangerai à 14h00, na ! Tant mieux, si ça vous fait enrager.

Attitude-type d'indépendance : je mangerai quand bon me semble parce que c'est mon droit.

Attitude-type d'inter-dépendance : puisque je préfère déjeuner plus tard (c'est mon droit), je réchaufferai moi-même les plats et remettrai la cuisine en ordre (c'est mon devoir). D'accord ?

On a longtemps confondu « autonomie » et « indépendance ». Sous le prétexte louable d'autonomisation des enfants, on les a laissés seuls avec eux-mêmes, livrés à leur désir, exempts d'appui. On a connu, selon l'expression de François Taillandier, la génération des « parents lâcheurs ». On a oublié qu'une dépendance, tout comme une norme, peut-être structurante autant qu'inhibante et que plus un enfant a vécu une dépendance structurante avec ses parents (les psychanalystes parlent d'« étayage »), plus il sera capable d'autonomie psychique, une fois devenu adulte.

Mais l'autonomie n'est jamais donnée une fois pour toutes. Elle n'est jamais un droit acquis. Elle est toujours à faire et à refaire. C'est un processus inachevé, non un état. **On ne naît pas libre, on le devient.**

Conclusion : « Avant, c'était mieux ! »

« De mon temps, monsieur, c'était le bon temps. »

« Avant, c'était mieux. »

« Les jeunes d'aujourd'hui... »

Refrains connus ! Rengaines qui résistent furieusement à l'érosion du temps. Pour chaque génération, celle qui suit est nécessairement d'un cru plus médiocre. Elle est à coup sûr insolente, arrogante, incivile, ingrate, moins vertueuse et plus pécheresse. Faut-il s'émouvoir de cette incompréhension entre les âges ? Je ne le pense pas. Dans cette sévérité des « vieux » à l'endroit des « jeunes », rien de neuf sous le soleil. Jugez-en plutôt ! « *Quand un peuple, dévoré par la soif de liberté, se trouve avoir des dirigeants qui lui en donnent jusqu'à l'enivrer, il arrive que, si les gouvernements résistent aux requêtes toujours plus exigeantes, on les traite de tyrans, et il arrive que ceux qui se montrent disciplinés vis-à-vis des supérieurs soient qualifiés de valets. Le père, saisi de crainte, finit par traiter son fils comme son égal et n'est plus respecté ; le maître n'ose plus réprimander les élèves et ceux-ci se moquent de lui ; les jeunes prétendent à la même considération que les vieux et ceux-ci, pour ne point sembler trop sévères, leur donnent raison. Au nom de la liberté, il n'y a plus de respect pour personne.*

Au milieu d'une telle licence naît et se développe une mauvaise herbe: la tyrannie. Et ... l'anarchie!» Ce texte n'est pas un billet d'humeur rédigé par un chroniqueur du *Figaro-Magazine* ou l'extrait d'un éditorial du quotidien *Le Soir*. Il fut écrit trois siècles avant notre ère par Platon. En faisant rimer «anarchie» et «tyrannie», l'auteur de *La République* avait bien perçu que la première faisait le lit de la seconde, mais surtout, appréhendait déjà ces temps maudits où pères et maîtres ne seraient plus respectés parce que n'osant plus «réprimander» leurs fils et leurs épigones. Nettement moins brillant sur le plan de la pensée et de l'écriture, mais tout aussi révélateur, cet autre extrait plus récent: «*Les événements d'aujourd'hui fournissent la démonstration palpable des déficiences du système éducatif... Il y a quelque chose à faire dans nos écoles: c'est rénover l'esprit de notre jeunesse. On a trop laissé faire, on a eu peur de contrarier, on n'osait plus commander ni se faire obéir... Et l'on a fait des enfants gâtés, des candidats à toutes les misères physiques et morales. Il nous faut remonter la pente... Au fond, la jeunesse n'aime pas le désordre, elle admire un homme énergique et marche à sa suite.*» Ce fragment savoureux est extrait d'un ouvrage signé *Frère Léon*, titré «Leçons de psychologie appliquée à l'éducation» et paru aux éditions Desclée de Brouwer ... en 1943! On le constate, la critique d'un système éducatif permissif et d'une l'école trop laxiste est une thématique qui transcende le temps. Je suis persuadé qu'en se livrant à une recherche fouillée et systématique, on pourrait en trouver des centaines du même cru. Voilà de quoi remettre les pendules à l'heure, relativiser nos inquiètudes actuelles et nos débats sur l'urgence d'un retour à une saine exigence.

Pour peu qu'on la considère avec un recul suffisant, l'Histoire présente d'étranges récurrences. Elle donne aussi souvent crédit à ce machiavélique « principe de négativité » décrit par les philosophes Hegel et Engels, selon lequel toute action produit inévitablement des effets imprévus, contraires aux intentions de ses initiateurs. Dans le domaine qui nous occupe, celui de l'éducation, ce principe trouve un terrain d'élection et démontre souvent sa pertinence. Combien de fois n'a-t-on pas généré des désastres au nom d'intentions louables ? Que de fois, visant un objectif de progrès, n'a-t-on pas constaté à terme un effet de régression s'offrant sous les apparences d'un pseudo-progrès ? Les exemples sont légions. En voici quelques-uns.

Dans les années soixante/soixante-dix, sous l'impulsion des contestations étudiantes relayées par les pédagogues et sociologues progressistes, les états-majors des pays européens élaborèrent des réformes généreuses visant à démocratiser le système scolaire en cassant le cercle vicieux de la « reproduction » si bien décrite par Pierre Bourdieu[19]. Qu'en est-il aujourd'hui ? On déchante. Les études les plus récentes démontrent que la démocratisation de l'école fut un leurre et que les mécanismes instaurés pour rendre celle-ci accessible aux enfants des milieux socialement défavorisés, ont laissé en place, voire même parfois renforcés, les inégalités anciennes.

Mais les changements sociaux ne sabrent pas seulement dans les sphères institutionnelles à coup de lois et de décrets. Ils bousculent aussi les mœurs quotidiennes et les

---

19 Les classes sociales se reproduisent grâce à un système scolaire sélectif offrant des filières nobles aux enfants de classes favorisées et des filières « professionnelles » aux enfants de milieux populaires.
Pierre Bourdieu, *Les Héritiers*, Paris, Minuit, 1964 (avec Jean-Claude Passeron) ; *La Reproduction*, Paris, Minuit, 1970 (avec Jean-Claude Passeron)

habitudes d'interaction de base. Là aussi, à cette même époque, on prétendit faire table rase du passé pour préparer un avenir radieux. Au nom de la liberté affective et de la spontanéité des sentiments, on proclama l'état d'urgence. Il fallait épurer les rapports sociaux des « règles de politesse » qui les corsetaient, les jugulaient, les rigidifiaient, les verrouillaient dans un carcan d'hypocrisie. Que se passe-t-il aujourd'hui ? On redécouvre les vertus des « civilités » élémentaires. On ressent le besoin de les réhabiliter, de leur réaménager un espace. Des voix s'élèvent pour rappeller que loin d'être des obstacles aux relations libres et sincères, ces gestes stéréotypés et ces mots conventionnels (Bonjour ! Merci ! S'il vous plait !) « huilent » les rapports quotidiens, les rendant à la fois plus faciles et moins rudes. Et de fait ! La quête louable d'authenticité exige-t-elle le refus forcené de toute convention, le rejet obsessif de tout formalisme ? La chose est de moins en moins évidente et les questions qui taraudent les grandes institutions en témoignent. Dans les années soixante-dix toujours, l'École, l'Église, la Famille entreprirent une vaste reconquête de l'authenticité, de la spontanéité et de la proximité. Elles partirent en croisade contre les « formes » (superficielles) accusées d'émasculer le « sens » (profond). Ringards et dépassés, les rites furent voués aux gémonies et rangés au placard. Il fallait sacrifier le rite... pour retrouver le sens. Intention vertueuse, sans nul doute ! Qu'observe-t-on aujourd'hui ? Qu'on a tué le rite... sans pour autant trouver le sens. Qu'on a perdu à la fois et le rite et le sens. Personne n'y avait songé : le rite, loin d'être un obstacle au dévoilement du sens en indique peut-être le chemin[20].

---

20 Dans toute société comme dans toute existence, le rite répond à deux fonctions primordiales :

Sans sombrer dans un prophétisme prétentieux, je pose l'hypothèse que la société post-moderne ne retrouvera le chemin du sens que si elle retrouve le sens du rite. « Rites de civilités », certes (les enseignants en réclament désespérément la réhabilitation), mais aussi « rites de séparation ». La réaffirmation de certaines distances nécessaires, de « clôtures symboliques » essentielles, s'imposera de plus en plus comme une nécessité impérieuse (différences entre les sexes, les générations, le sacré et le profane, le public et le privé). Distance aussi entre l'école et la vie. Rappelons-nous ! Il y a trente ans, le slogan à la mode était : « pour une école de la vie ! » Sous sa banderole, on abattit les murs des établissements scolaires afin que la vie de la Cité pénètre dans les classes comme la lumière du soleil dans un grenier poussiéreux. Aujourd'hui, que se passe-t-il ? Pour faire face à la violence scolaire, c'est-à-dire la violence de la Cité importée dans l'enceinte de l'école, on se voit contraint de reconstruire des murs, des barrières, les grillages métalliques, de payer des vigiles qui font office de gardes-frontières aux portillons. Dommage ! Si l'on avait fait plus de cas de la « clôture symbolique » (l'école n'est pas la vie ; c'est un lieu à part, ouvert à la vie certes, mais en même temps séparé d'elle par la nature de sa mission),

---

– une fonction « inchoative » c'est-à-dire une fonction de préparation, de mise en condition favorable. Exemple : en offrant à boire à mon invité, je l'accueille, je me prépare à l'entendre et à lui parler.
– une fonction « disjonctive » c'est-à-dire une fonction de séparation et de transition. Ritualiser, c'est introduire un certain ordre dans l'indifférenciation et le chaos. Exemples : en offrant à boire à mon invité, j'introduis dans ma durée subjective une coupure entre le temps de son absence et celui de sa présence et, dans sa durée à lui, une coupure entre son occupation antérieure et son occupation présente. De la même façon, si en ma qualité de professeur ou de chef d'école, j'impose silence aux élèves avant d'entrer en classe, c'est une façon de marquer la séparation entre « temps d'étude » et « temps de détente ». Le rite est un geste fort et vivant. Il doit être distingué du rituel qui en est la coquille vide, le verni, la version morte et compassée. Pour plus de détails sur la différence entre « rites » et « rituels », cf. Patrick Traube, *Je m'aime... toi aussi,* Labor, Bruxelles, 2000.

peut-être ne serait-on pas obligé aujourd'hui d'édifier ces tristes clôtures matérielles qui enferment sous prétexte de protéger. Qu'on me comprenne bien ! Il ne s'agit nullement de sanctuariser l'école, mais simplement de requalifier sa spécificité.

Est-ce un retour au passé, une régression nostalgique vers un « ancien temps » auréolé de toutes les vertus ? Non ! Car l'histoire ne bégaie pas. Comme l'a bien vu Nietzsche (loi de l'Éternel Retour), l'évolution est une spirale, jamais un cercle. La case d'arrivée ne renvoie pas à la case de départ. On en revient au semblable peut-être, mais pas à l'identique. Alors, s'il fallait effectuer ce détour par la transgression du rite pour en retrouver le sens, s'il fallait mettre la Loi au défi, en questionner la pertinence, la subvertir avec insolence, pour en redécouvrir la légitimité, s'il fallait en dénoncer la face négative (inutilement aliénante) pour en réinvestir la face positive (utilement structurante), s'il fallait « ruer dans les brancards » de la contre-dépendance, jouir des effets narcissiques de l'indépendance, pour être prêts à vivre aujourd'hui, peut-être, que l'interdépendance, ce temps du détour n'aura pas été un temps perdu.

Table des matières

La photocomposition de cet ouvrage
a été réalisée par TOURNAI GRAPHIC

Achevé d'imprimer en octobre 2002
sur les presses de l'Imprimerie CAMPIN (Tournai)
pour le Compte des ÉDITIONS LABOR (Bruxelles).

Éditions Labor, 29 quai du Commerce
1000 Bruxelles – Belgique
tél : 02/250 06 70 – fax : 02/217 71 97
http://www.labor.be – labor@labor.be